世の変遷で捉える

日本国の役割 II

環境問題 の影響を知り、
日本の役割を考える

千葉武志
CHIBA takeshi

「環境問題」

ナマの知識と解決策
重要性に驚かなければならない
多くの課題、「代替エネ、廃棄物、コスト、
国際問題化」を知る意義は測り知れない
わくわくする日本をみんなで仕立てよう

湘南社

「理想を語らぬ政治に危機を持たねばならない」
　　　　　フランシスコ教皇　2019 年 11 月　日本にて

「夢や時代の精神を人々に呼びかける大切さと難しさを訴え、そして未来を語る国際的リーダーシップへの渇望である」
　　　　　　　　日本経済新聞　2019 年 11 月 27 日

「行動のないところに幸福はない」
　　　　　　　　ベンジャミン・ディズレーリ

序　論

　初めての著作である『世の変遷で捉える日本国の役割』を出版して、まだ半年強で次作、副題が「環境問題」の出版にとりかかる決意をした背景は４つある。

　第１に、最近こそ騒がれ始めたが、長期に及ぶ環境問題は、一般的には、日常生活に直結する問題に比べると関心が薄いのが実情だった。幅広く捉えて認識せねばならない「重要性」である。

　第２は、地球の存亡にも関わる温暖化、その影響による自然災害、人工的災害、廃棄物処理などは待ったなしの「緊急性」を要する事象である事。

　第３は、諸問題解決には日本の技術が資するところ大であるとの「矜持と自信」を持ちたい感情。

　第４は、広範な環境問題を知る意義を広め、その中で技術を基盤とする問題解決がいかに重要かを認識し、日本の役割を提唱する「責務」を感じる、の４点である。

　米国のアル・ゴア元副大統領のような大規模活動は出来ないが、せめて書籍で訴えたいと考えた。ただし、問題提起の幅に関しては、本書の方が広いであろう。

　図書館や書店を巡り、ネット書店をも探ったが、個々

の問題を取り上げた専門書は多く見られるが、総体的に幅広く問題を俯瞰し解決に導こうとする書籍は見当たらなかった。膨大なデータを収集し、世界的大問題から身近な個人生活に至る問題を整理し、全体像を把握し、解決策をも訴求する書とする事を目指す。

　ＥＳＧの名の下に、各企業も責任を背負って対応しないと株価が下がる事態になるぐらい、環境が世界的テーマになった。急速な技術進歩で災害防止の領域も拡大出来る事に、もっと日本が貢献できる筈である。その国家的取り組みが見えないもどかしさを感じる。

　２０２０年の新政権で、日本も漸く取り組み始めたが、前著でも謳った総合対策に基づく技術進化と国力強化の処方箋を実行に移して、日本の役割を果たしてほしい。それがあって初めて、世界の環境取り組みに消極的な自国第一主義を抑える事が出来ると信じる。

　なぜ総合対策か。個々の対策は他の対策との関連性に配慮がなく、相反したままであったり、他の対策を無視したり、副作用を考慮しない等、全体の整合性に欠ける場合が多い。いずれの対策も金食い虫で、膨大な資金を要するが、資金配分は最も重要な要素である。資金の裏づけのないプロジェクトは意味がない。原資をどうするかについては、当然国家の無駄の徹底排除を並行して行

う条件が付けられ、国会、国・地方行政の莫大な非効率をなくす大改革が伴う。資金手当てを加味した総合対策のみが解決策に導く。

　この様なヴィジョンを、出来るだけ多くの人々と共有したいと思う。

　本書では単に環境に直接関係する問題だけでなく、間接的な影響も重視している。風力などで安価に製造した海外の水素を輸入して日本で電力に転換する事で、化石燃料使用を減らすプロジェクトがこれに当たる。諸々の技術がCO_2削減に寄与し、日本の出番である。

　本書に採用した資料は、過去から現在までの新聞等の記事やウィキペディアなどのインターネット検索で得た内容である。膨大なデータを整理し訴求内容としたわけで、多角的広範な資料であるからこそ、総合的に俯瞰し、事象を関連づけて理解できる点が個別専門書と異なる。

　環境が連日新聞紙上を賑わせているが、環境問題とは何かを認識し、問題解決の難しさを知り、資金の裏付けを明確にしなければ、掛け声のみに終わる打ち上げ花火だ。過去に多くの打ち上げ花火を見てきたし、現在の諸々のコミットメントも同様の結果となる事を危惧している。

CONTENTS

第 1 章 本書の目的

　環境問題をどの様に捉えるべきか。本書では、「問題」そのものの概念を、経済との関わり、全ての災害とその処理の難しさ、政治と国際問題への波及、企業の動向、技術問題の緊急性と重要性等とし、「問題」を同時並行的かつ総合的に取り組む事を訴える。

　環境問題の意味を把握し、それが引き起こす多くの事象を挙げ、さらに負の影響と対峙する事、すなわち広義の環境問題である「外的な総体」から狭義の環境問題である「生物生活」への影響を捉え、引き起こされる災害などの対処方針や解決策までを視野に入れた内容とした。

　災害を大きく分類すると、
① 環境変化（温暖化など）が引き起こす自然災害
② 地震・台風・森林火災等従来型の自然災害
③ 人工的災害（原発事故・火災・爆発・原油汚染等）
となるが、それぞれに対し、環境変化抑制（温暖化防止などの施策等）、自然災害防止策（台風予報の精度強化、防波堤強化等）、災害予防センサー設置強化等の面でまだまだ技術進化を取り入れる余地が存在する事を明らか

にして、減災・防災強化の必要性を追求する。

　昨今、日本の技術進化は停滞し、アメリカ、中国など
の大国は自国第一主義に走り、世界的規模の環境変化に
よる災害増に対応する余力を欠いている。それ故にこ
そ、総合対策の下に世の安定化に向けた処方箋は喫緊の
課題なのである。

　この様な趣旨に沿って、環境問題の本質を理解する
データを揃えた上で種々の解説を加え、また多くの企業
努力の例を挙げ、さらに規制や法令の目途、経済への影
響、一般生活様式の変化等幅広い分野での問題提起を試
みた。

　最終的な目標「日本国の役割を果たして世界の安定に
貢献する」を広く訴える書として、さらには、ナマの知
識習得の書として、高齢者・サラリーマン・主婦・自営
業者・学生全てに、この重要なテーマに関心をお寄せ願
いたいと願っている。

第2章　環境・災害・保護は一蓮托生

■第1項　環境の概念

　ＩＳＯ用語辞典によると、環境の定義は「大気、水質、天然資源、植物、動物及びそれらの相互関係を含む組織の活動を取り巻くもの」である。環境が及ぼす影響にとどまらず、人工災害をも含めた課題を提起する。自然災害が原因の原発事故や森林火災の如く、自然と人工が関連する災害も大きい。

　環境を広義に捉えると、家庭・自然・社会など外的な事の総体であり、狭義では人や生物に何らかの影響を与える事である。生物や物理的環境は無数で微視的なモノから地球・海洋・大気の規模まで存在する。本書では、影響の大きさや深刻さを測り、重点的に絞り込んだ。

　環境問題はあらゆる生命に影響し、相互作用を起こす極めて幅広い対象を有するので、個別対策を断片的に論じるのは適切とは言えない。環境破壊から生じる災害、自然災害、人工的災害は重要テーマとして扱い、その防衛策にも力点を置いた。

　下記は災害の区分法の一つである。

①人間集団主体：気候、日照、温度が影響する風水害

や地震等の自然災害、放射能などの人工災害

②個人主体：生活、教育、家庭、情報、騒音、景観に関連する災害

③課題主体：生物保護、地球温暖化、水・土壌汚染、森林，地盤、廃棄物、リサイクル、化学物質、自然保護、政策・国際的相違、資源などに関わる問題

概観すると、相互に関連したり重複したりすることがわかるが、課題主体が前二者を包括しているので、課題主体をベースに進める事としたい。これら人類に及ぼす影響は、国・地方に与える影響、生活パターンに与える影響、国家権力・覇権に与える影響などに連鎖するもので、総合対策の必要性は強調してし過ぎるモノではない。

■第2項　環境保護と経済発展は相反か

温室効果ガスが酸性雨の原因となったり、飼料製造のために畑を造成する目的の森林伐採、水の浪費と水質汚染などがやり玉にあげられ、企業イメージを落とす報道が多くみられる。肉・乳製品の嗜好上昇と巨大人口国の高成長が相まって、爆発的な需要拡大も予想される。飼料と環境問題がリンクした対策が検討されているのである。

騒音と振動も深刻なトラブルを起こす。空港周辺住民は快適生活の被害者であることを主張し、大型トラックが通る道路に面した住民は地盤の脆弱化と振動被害を訴える。公共の施設や輸送道路が起因する音や振動が快適性を毀損するとする争いは経済活動の発展と共に拡大する因果関係を作り、技術進化による解決策が求められるところである。

　廃棄物も同じく、経済発展に比例して増える性格を持つが、悪臭等も技術が解決する。

　この様に、経済発展に伴う環境悪化の対応は広がりを見せるばかりで、相当部分が技術的解決に負うところ大である。

　産業の効率化が進展すると、機械などのエネルギー消費が増え、環境負荷が増大する。産業発展や生活水準向上と環境の相反は極めて重要な課題で、長期取り組みを強いられる。国と地方で異なる主張があったり、自治体と住民の合意などを要する場合などである。EUではディーゼル車が増大したのに対し、日本ではディーゼル車の規制強化に入るといった事も起こっている。

　また先進国が皆で社会コストを負担しようとしても、発展途上国は環境破壊を行って産業発展を遂げたのは先進国であり、自己責任で処理すべきとする先進—後進国の主張相違があるので、妥協点を見出すほかない。その

妥協点は技術開発の進化が決定要素となる。

エコロジー（エコ）は「環境に配慮した」あるいは「環境負荷が低い」と定義されるが、「健康的」を意味するまでに至っている。

利便性追求型社会が環境破壊を起こす因果関係がある一方、人的製造文明から自然に環る動きが出始めている。環境負荷の低い精進料理の人気上昇や、生活に自然を取り入れるライフスタイルがエコライフの名の下に広がるのがその例である。環境も経済も共に重要であり、二兎を追うのが世界的趨勢、二者択一ではない。

■第3項　自然保護

経済発展のために自然環境を破壊してでも開発を優先する動きに歯止めをかけるのが自然保護である。世界自然保護基金（WWF）、国際自然保護連合（IUCN）は開発前の環境アセスメントの手法や自然保護区の設定で対処している。アフリカでは経済・産業開発の要求が強いが、民生の向上や自然保護と対峙するのが常だ。バランスを取る重要性が増すばかりである。

■第4項　環境を守る

（1）公的な動き

人間生存に関わる問題では生存権、人格権に及ぶ。例

えば、

①汚染が健康を害さぬ基準を設け、監視や規制を行う
　トップダウン型

②組織が自発的に行う環境マネジメントといったボトム
　アップ型

があり、世界的に取り組まれている。

　環境を守る運動としては、環境保護運動、国連、ＥＵ、
アジア経済協力会議（APEC）、政府間パネル（IPCC）が
ある。

（２）自発的な動き

　持続可能性、人間生活の維持をテーマに多くの企業が
動き始めた。国連合意に至っているＳＤＧｓにも続く運
動で、企業価値を左右するまでに至っているのが注目点
である。持続可能性を維持しながら、資源、エネルギー
を利用するのが循環型社会であり、省資源・省エネ・ゼ
ロエミッション・３Ｒの施策を講じる動きである。カー
シェアやレジ袋使用自粛は草の根レベルの取り組み。こ
れには国家的取り組み（規制や基準設定等）と市民活動
の２通りがあり、世界的趨勢となっている。

【課題と私見】

　環境問題と経済発展は相反関係にあるが、双方を進め
ねばならないというのが一般的見解であろう。

最近ＥＵでは、環境問題を経済政策と位置付け、経済活性化の道具とする考え方が出現している。

　環境保護への投資が経済活性化となり、企業利益をもたらす。社会的コストの環境経費は公的資金で支払われるが、その全てとはいえないが、一部は企業が税金の形で賄うという事であろう。

　環境経費は人類が支払わねばならない必要経費だが、新たな技術開発による新製品や雇用増などの経済対策にする前向きな全体像がうかがえる。

　また、本章は今まであまり環境問題に注目がなされなかった世界の眼がようやく届き始めた点を指摘する。社会に危害を与える企業行動への監視が強化され、新たな規制が設定され、企業や人が自発的に環境対応に動く趨勢を挙げ、みんなで地球を守らねばならないとの世界的動きの芽生えを感じさせる 21 世紀初頭を述べた。

第3章　環境悪化を事前に食い止める
（ＳＤＧｓとＥＳＧ）

（ＳＤＧｓ）Sustainable Development Goals ＝ 持続可能な開発目標

　２０１５年９月、国連サミットで採択され、１９３カ国が１６〜３０年の１５年間で達成する１７項目の目標である。日本は「７人に１人が貧困」、「ジェンダー平等」の２項目で、１５３カ国中１２０位であり、日本にも当てはまる改善必要項目がある。

　１７項目のそれぞれに１０個ほどのターゲットを設け、計１６９ターゲットを決めている。１日１.２５ドルで生きる貧困を終わらせるなど、具体的な内容もあるが、「半減させる」や「十分な保護」などの漠然とした内容もあり、これに対しては詳細版で２３２の指標を策定している。すなわち、１７目標、１６９ターゲット、２３２指標の３段階構成となっている。国連のハイレベル政策フォーラムが毎年各国の進捗状況をモニタリングする。達成状況はＯＥＣＤとアフリカでは差が大きく、その縮小が課題である。

　日本では、１６年５月、ＳＤＧｓ推進本会合を開催、

毎年２回同じメンバーでの会合で、決定指針、経済、社会、環境の各分野で、８つの優先課題と１４０の施策が盛り込まれた。世界をリードするとの意気込みで、①国際保健４億ドル支援、②難民対応５億ドル支援、③女性の輝く社会の実現に向け、１８年までに３０億ドルの取り組みのコミットを発表した。

大きく捉えると、持続可能な社会を経済、環境、社会の３項目で定義して、街作り国作りを行い、国際支援にも参加する体制を整えたといえる。今後、ＳＤＧｓの達成に貢献する企業がＥＳＧ投資の対象になる方向が見えつつある。持続可能な世界は投資家からのＥＳＧ投資と企業・社会からのＳＤＧｓ視点で形造られていくという事だろうか。

ＳＤＧｓ１７項目

　① 貧困をなくそう

　② 飢餓をゼロに

　③ 全ての人に健康と福祉を

　④ 質の高い教育をみんなに

　⑤ ジェンダー平等を実現しよう

　⑥ 安全な水とトイレを世界中に

　⑦ エネルギーをみんなに、そしてクリーンに

　⑧ 働き甲斐も経済成長も

⑨ 産業と技術革新の基盤をつくろう

⑩ 人や国の不平等をなくそう

⑪ 住み続けられるまちづくりを

⑫ つくる責任、つかう責任

⑬ 気候変動に具体的な対策を

⑭ 海の豊かさを守ろう

⑮ 陸の豊かさも守ろう

⑯ 平和と公正をすべての人に

⑰ パートナーシップで目標を達成しよう

（ＥＳＧ）Environment Social Governance　環境・社会・企業統治

　環境を保全しつつ社会を発展させる持続可能な社会を築く企業経営の重要性が叫ばれ始めた。２０３０年までに各国が達成すべき目標ＳＤＧｓや企業の果たすべき社会的責任（ＣＳＲ）とも重複する要素があり、共通点が持続可能な社会作りである。

　ＥＳＧは投資に特化していて、企業がいかに社会的課題に向き合い、ビジネスチャンスとして活用しているかを判断する指標としての側面がある。ＥＳＧを重視する企業は倫理面で優れているだけでなく、財務リターンも高く、中長期投資対象となるとの研究発表もある。これがＥＳＧ投資といわれるものである。

　ＥＳＧとは異なる動きも報告されている。英国全土

で、２０２０年６月に自動車のショールームがコロナ禍の休止から営業を再開すると、買い手が新車列を素通りして、中古車に向かったのである。公共交通機関を避け、コロナ対策として、政府が自家用車所有を薦めたためだが、ＥＶ新車は高額なため敬遠し、安い中古ガソリン車の購入に走ったというわけだ。ＣＯ２排出削減を試みている一方で、古い車が走り続くと逆効果が生じる公算が大きい。

【課題と私見】

　国連ベースの世界的目標１７項目が、ＳＤＧｓとして、ほぼ全ての加盟国参加の下に、宣言採択がなされ、その目標に向かって、世界の企業が持続可能な社会作りのために、自ら統治してゆく、グローバルな動きになった。

　７７億人が、より幸せになる道筋をつける努力、企業は儲ける事だけでなく、明確な社会貢献に一歩踏み出す努力は、人類史上初の世界的快挙といえる。この様な各国の努力は、決して過小評価してはならない。その合意内容を尊重する努力を欠かさず、多難な環境問題と経済発展の両立に取り組み、世の安定化に少しずつ進める事が大切である。

第4章　　環境問題取り組みの数々

　環境被害から逃れる数々の取り組みは、いずれも地球の生き残りを賭けた努力であり、国連が提唱するＳＤＧｓや世界の企業が取り組むＥＳＧは喫緊の世界的課題となっている。

　「脱炭素社会への取り組み」が、金融からのサポートを受けて進められているのは、テーマの重要性を象徴している。脱炭素は最も重要な課題の一つだが、広い分野で活発化している。

　２０２０年１０月、「金融が担う脱炭素社会へのトランジション」と題するセミナーが開催され、ＳＤＧｓと脱炭素社会への移行が討議された。環境問題が金融問題の中に盛り込まれることが重要性を象徴していると考える。金融の役割とは何であろう？

　基本的スタンスは、地球温暖化対策の国際枠組み「パリ協定」に基づく、気温上昇の抑制目標値２度Ｃに相応する排出量を達成するためのＳＤＧｓを重視する事としている。今後、企業は中長期的にＳＤＧｓ普及と推進を進める事で企業価値を高めるとの考えである。社会問題でもあり、企業単独で遂げられるものではない性格を

持っている。自社事業の問題でありながら、社会のメリットを生み出す事が必定である。

　大きな事象では、技術進化、人口動態、自然環境、グローバリゼーション、新興国成長、地震などのテーマに対し、いつ起こるかのシナリオを作り、リスクを知ることから始める。

　企業価値にとり重要なのは、無形資産の価値の割合である。企業価値の源泉は通常、財務資本であるが、これに加え、社会・自然関係を重視する時代であるとする。したがって、今後社会と自然が変われば企業価値も変わることになる。考え・見解が変遷する事を認識する重要性を持たない経営者は脱落するであろう。企業の環境取り組みがコストではなく、投資であることに気づかねばならないし、これが競争力強化の手段でもある。

　脱炭素社会実現に向けたトランジション時期である現在、課題として挙がったのは、先進国のＣＯ２排出量が微量で途上国の大きさが目立つが、途上国を取り込んでゆく姿勢の必要性である。明確な方針と排出量を下げるロードマップを作り皆で守ることや、高い目標を掲げ達成できない理由をつぶしてゆく方が、着実に一つ一つこなすよりも効果的だとの意見も出された。

会計面でも影響が出始めた（日経グローバルオピニオン）。企業が排出する温暖化ガスがどの程度環境に負荷をかけるかをはじき出し、コストとして差し引いて、利益の変化を見ようというものである。２０１８年、１８００社の調査で税引き償却前利益が黒字だった１６９４社中５３４社は環境コストを引くと２５％の減益となった。すなわち、環境コストを外部化して利益を出している企業が多く、見えないコストを内部化する企業の姿が見えるのだ。

　米国経営者団体は企業の存在意義を宣言し、業績に変化がなくても経営者が従業員にものを言い、投資家が経営者にＥＳＧを求める行動は社会が変わる断面であるとしている。社会に与える影響を投資の意思決定に反映させ、リスク管理を行う方向にあると言える。

　ＥＳＧ格付けの高い企業に投資する投資家が増える傾向だが、環境配慮のふりをする「グリーンウオッシング」には注意が必要だ。

　企業会計が変わりつつあるのは明らかである。組織に蓄積されたノウハウと個人の才能などの見えない資産は多くの富を生む。企業はきれいな空気、森林など自然資本を使って利益を上げているが、財務的に把握されていない債務として簿外に累積されているのである。また、株価に反映されていない環境対策を行う企業の体質を表

す会計手法が確立し、企業が社会から評価される尺度となっていくのではないだろうか。

　今や巨大企業は社会・環境面で責任ある事業活動を展開している。小売り大手のウォルマートが温暖化ガスの排出量を約束するなど、巨大企業が態度を変えたのは、ステークホルダー（すべての利害関係者）に尽くすことを誓った「ビジネスラウンドテーブル　２０１９」の書簡がきっかけである。オイルメジャーのＢＰ、たばこのフィリップモリスにも見られるほどの変貌である。ＥＳＧの原則に反する企業を振るい落とす投資ファンドが急成長している。見えない価値の低下に伴う悪影響を無視できない世の中になり、何と大きな変貌かとつくづく思う。

　世界でＥＳＧに資金を限定した政府・政府関連機関の国債発行が増加している。２０２０年９月までに２兆円超に及び、すでに１９年の発行額を超えた。ドイツ、スウェーデン、ハンガリー、メキシコでの発行であり、ハンガリーでは円建て（サムライ債）も含まれる。
　ＥＳＧ収益への影響を見える化しようとする動きも注目される。ＰＷＣジャパングループは自社の課題認識や改善策につなげようとする企業にシステムを提供する。

ＥＳＧは直接売り上げや費用に繋がらない非財務の情報であり、それがどの様な経路で収益とコストに影響するかを可視化した。例えば、強制労働や児童労働が多い地域での評判の低下や規則抵触による罰金によりどのくらいコストが増えるか、あるいは沿岸部洪水を受けやすい地域に生産拠点があれば、災害時の拠点破損のコストがどうなるか、生産高減少の影響はいかがかなどだけではなく、地域の人権、貧困、温暖化などの項目ごとの可視化もなされる。まずは、分析項目を、「温暖化ガス排出量」「気候変動の物理的リスク対応」「人権」に絞ってのサービス提供である。

見えないコストを内部化し、見えない資産を見える化し、全体価値を引き上げることになる。環境対策に積極的な企業に対し、投資推奨と会計処理の見える化により、金融支援がつく風土が醸成されつつあると言える。

この様なＥＳＧ行動と裏腹の動きも現実にはある。米国環境保護局の施策が骨抜きになっている話だ。オイルメジャーのエクソンモービルはメタンガス排出規制の緩和に反対だが、緩和を進めようとしている地元政治家の資金集めパーティーに出席するのは二番手クラスの企業である。やはり彼らは環境コストよりも企業利益を優先させるグループである。環境にやさしいとキャッチフ

レーズを並べながら、汚れ仕事を二番手クラスに押し付ける事で稼ぐグループなのである。かっこよく環境対策の美辞麗句を並べつつ、実態は企業存亡がかかる社会的コストの負担は難しいのが実情のようだ。

　国際商工会議所代表のアンドリュー・ウィルソン氏は、持続可能な開発とＥＳＧに関する目標を実行に移すにはお金がかかり、複雑だと指摘している。プレスリリースの発表よりもロビー活動を注視する考えでもある。同氏によれば、１０００社の多国籍企業がパリ協定に連動すると言いながら、行動では取引先を連動に誘っていないと語っており、サプライチェーンが生み出す炭素排出量が大多国籍企業の事業が生み出す量の５.５倍だという。多国籍企業が、自らのＥＳＧだけでなく、サプライチェーンにまでＥＳＧを強いる力を持っており、グループ全体の実績を上げるべく、ロビー活動を強化していく方向のようだ。

【課題と私見】

　環境に貢献する企業に対し、環境コストを明示させると同時に、それによる利益をはっきりさせようとする会計処理が開発された。企業は環境貢献利益ともいえるメリットを追求出来、大きなインセンティブともいえる。会計処理が好ましい結果であれば、投資家へのＰＲとし

て活用し、投資を誘うことが出来る。この様な金融面の
サポートは企業を勇気づける。

　これまで環境問題に対応する動きを述べた。これから
環境問題とはどのような事を指すのかに焦点を当て、解
決への道を模索出来ないかを考えたい。
　第二章、環境問題の概念にある「課題主体」の諸項目
は「人間集団主体」と「個人主体」に密接に関連し、包
含するものなので、「課題主体」からテーマを絞り込ん
で全体像を把握したい。その全体像の構成を４項目とし
た。資源問題（脱炭素社会と代替エネルギー開発）、廃
棄物、自然災害と人工的災害、環境保護（生物、景観、
森林、異臭、騒音等）である。これら重要テーマを、技
術進化を織り混ぜての解決を模索する。

第5章　環境問題の具体的内容
資源問題（脱炭素社会と代替エネルギー開発）

（1）総論：京都産業大学　藤井秀昭教授の日本経済新聞「やさしい経済学」より

　東日本大震災までの基本政策は「エネルギー地政学上の変化や気象変動に対応しながら経済成長を実現する」であった。大震災後の原発事故とコロナ禍による経済停滞で、エネルギー需要と価格が大きく変わり、その対応の必要性に直面した。並行して、温暖化対策であるパリ協定の運用が２０２０年に始まり、産業革命前と比べた世界気温上昇を１.５度に抑える事を目指している。その実現には、５０年までに先進国の二酸化炭素排出をゼロにする必要がある。コロナによる経済活動停滞があって排出量が減少したがこの状態が続くわけではない。８割を化石燃料に依存する世界は大きな転換点にあるのである。

　過去３０年、エネルギー安全保障を揺るがす出来事は、米ソ冷戦終結、グローバリゼーションの進展、東日本大震災、新型コロナ危機である。エネルギー安全保障の骨格は価格高騰や供給途絶リスクから自国を守ることであった。３０年足らずで世界人口は２５億人増え、エ

ネルギー消費は６割増し、発展途上国消費が先進国のそれを上回るという大変動である。

　注目すべき点は、リスクの種類が広がったことで、気候変動による環境問題、エネルギー転換技術の信頼性、資源ナショナリズム、核拡散やテロの他、水・食料不足、感染症から市民を守る人間安全保障に及ぶ。エネルギーが社会全体に関わるという事だ。結果として、効率的なガス排出水準を実現して、社会的総費用を最小化する事が重要となった。経済活動とエネルギー対策の双方を設計する重要性は増すばかりである。

　第五次エネルギー基本計画は、３０年度の電源構成に占める再生エネ電源（水力を含む）比率を２２〜２４％としている。日本では、１２年に再生エネ電源を固定価格で買い取る制度を設け、その設備容量は年率２０％超の勢いで増加した。買い取り額を賄うため電気使用者から一律に賦課金を徴収したが、その額は１９年度で年間２.４兆円（これに対する買い取り額は３.６兆円）となった。すでに事業用太陽光発電コストはキロワット時当たり１０円未満となっている（ドイツでは３円にまで下がり、将来全電力が再生エネ電源になる。日本の高価格再生エネ電源の買い取りは早急に廃止され、賦課金をなく

さねばならないであろう。筆者)。

　１８年度の日本電源構成は、ＬＮＧ火力３８％、石炭火力３２％と両火力の割合が高いのは、大震災による原発停止の影響である。世界では石炭火力廃止が進み、逆行の日本に二酸化炭素排出批判が集まっている。ただちに石炭火力廃止が出来ない日本は二酸化炭素や有害物資の排出削減技術に注力し、クリーンコールテクノロジーが進み、これが有望な輸出財となりつつある（ただし、この輸出が石炭奨励と受け留められ、批判の的となる苦しい立場である。筆者)。エネルギーミックスは種々の要因で変更されるが、この様な変化は社会経済システムや生活様式をも変える要素となる。

　日本はパリ協定に基づき、「５０年までに８０％の温暖化ガス排出削減を目指す」とした（２０年１０月、新政権は１００％削減を表明。筆者)。基準年を設定していないが、１３年度を基準とすると排出実績値１４.１億トン（ＣＯ２換算）を５０年までに２.８億トンにするということになる。１３年度の排出内訳は、発電や石油精製等のエネルギー転換１.０億トン、工場などの産業４.３億トン、運輸２.３億トン、家庭・業務４.８億トンである。５０年までの目標達成のためには、

　① 電源全てを再生エネとする

　② 産業・運輸での排出をゼロにする

③ 民生部門（家庭、業務）で８０％削減する

という３つの同時達成が必要となる。これは社会経済システムと生活様式の大変貌なしに収まらない。

　脱炭素化の手法には、環境税（炭素税など）、削減補助金、排出取引、規制等の強制的なものがある一方、企業と社会が自発的に共通価値の創造という考え方に基づき、新たに自浄機能を備えた体制を構築する動きが地球規模で始まっている。ＳＤＧｓを国連が策定し、金融界気候関連財務開示タスクフォース（ＴＣＦＤ）が設置された。脱炭素社会に向けた体制作りである。企業は気候変動対策をコストとは見做さず、そこに競争力の源泉を見出そうとしている。消費者も財サービスの選択において、脱炭素化の基準を積極的に組み込もうとしている。

　この様な考え方の変化に加え、マネーの動きも変化がある。脱炭素融資行動の始まりだ。日本市場でもＥＳＧ投資と呼び、本格化に入った。また、環境ＮＰＯが金融機関やエネルギー企業の株主提案の形で影響力を行使し始めている。他方、コロナ禍によるエネルギー需要減退で関連企業の収益悪化をきたし、化石燃料の生産投資が激減するとコロナ収束後の世界経済回復局面で、需給逼迫を起こす懸念がある。いろいろな場面を想定する必要がある。

情報通信技術ＩＣＴを駆使するスマートコミュニティーを創造し、豊かな社会を目指すが、重要な要素がゼロエミッション車とゼロエネ住宅といえる。燃料電池車普及、水素製品によるカーボンフリー化、供給網整備、蓄電池効率化、水素貯蔵整備は不可欠だ。エネ消費ゼロ住宅では、建築資材から住宅解体までのライフサイクルを通じて、二酸化炭素をマイナスにするカーボンマイナス住宅を目指す。

　以上、地球を救う脱炭素の行動の概観である。

（２）エネルギーミックス：東京大学　高村ゆかり教授
　現段階の日本のエネルギーミックス目標は、２０１３年を基準として、総論で述べたように３０年度において再生エネ比率２２〜２４％、原子力２０〜２２％、温暖化ガス削減２６％である。各国のガス削減目標にばらつきがある。日本の場合、エネルギー事情が１１年の大震災により激変し、それ以前と比べても意味をなさないので１３年基準としたし、欧州が９０年基準としたのは、その前年に東西冷戦終結があったためだし、米国はシェールガス革命が起こる０５年基準とした。いずれも自国の目標を大きく見せるご都合主義がみてとれる。それぞれが達成されれば温暖化を食い止め、自然災害縮小

に貢献する。30年時点での望ましい電源構成には、安全性、安定供給、経済効率性、環境適合性の4点が必要であることは、世界共通である。

　自給率の問題も存在する。日本の原発が止まった時、自給率6％であったのに対し、韓国は18％、大震災前の日本は25％であった。安全保障上自給率の向上は考慮しておかねばならない。他方、原発と火力の比率を下げる原資は、省エネと再生エネの二つである。現在最も安い原発電気価格のキロワット時3円の発電量が大幅に減り、化石燃料に頼る日本は鉄鋼や化学の電力大消費企業を支えるにはあまりに高いコスト基盤を強いている。日本の全体競争力のマイナス要素である。
　日本が支払っているLNG価格は欧州が支払うそれよりはるかに高く、米国比は5.5倍である。ドイツでは再生エネコストが原発並みになり、全てを再生エネ電力とする宣言を行ったが、日本は多くの課題を抱えており容易ではない。しかし今や、震災を理由に化石燃料を使用し続け、温暖化ガス排出を抑制できない状態を続けることは許されず、また数字合わせも一切認められない。この様な状況下でのベストミックスへの総合見直しが必要となっている。

以上のように、温暖化ガス削減目標達成と電源構成最適化の課題はあまりにも厳しいが、エネルギー価格引き下げ策を含む総合解決が必定で、エネルギー政策が国家戦力そのものであることは変わらない。

　２０２０年７月、菅内閣誕生と共に、経済産業大臣が非効率石炭火力の廃止と再生エネの主力電源化の新たな仕組みを表明し、また環境大臣は石炭火力設備輸出への公的支援厳格化を発表し、政策転換の軸が脱炭素化と再生エネ主力電源化となった。

　再生エネの電源割合は、１８年に１７％となり、水力を除くと９．３％である。買い取り制が始まった１２年度比の３倍以上となった。太陽光発電は世界第３位、コストはなお高いが、１０年から１９年にかけて６４％低下した。

　エネルギー自給率は１８年に１１．８％となり、温暖化ガス排出は１３年比１２％減と国連に報告している。再生エネ支援の賦課金は２０年度２．４兆円、１キロワット時当たり２．９８円であり、電力消費工場はたまったものではない。まずはこの様な賦課金を解消し、日本の競争力を引き上げねばならない。

　制度やルールを脱炭素化と再エネ主力電源化に整合させねばならない問題がある。既存の送電線の利用は、先

に送電線に接続した電源が優先されるため再生エネなどの新規電源は接続に数年を要する有様で、莫大な費用を強いられる。これでは再生エネ電源主力化の逆方向である。再生エネ優先に切り替えるなどの制度変更が欠かせない。

　脱炭素への取り組みは、５０年までに１２０を超える国・地域が排出ゼロを目指す。日本も同目標を宣言したが、７０００万人を超える人口をカバーする自治体の数が１５０超に広がった。世界企業でも、マイクロソフトは３０年までに自社の排出量以上の削減、すなわちカーボンマイナスの実現を宣言、自社消費エネを全て再生エネとし、取引先排出量削減をも加える内容である。アップルも製品のサプライチェーンのライフサイクルからの排出量ゼロ目標を発表、１５年以降の取引先に再生エネ１００％使用の製品を支援する。

　再生エネの主力電源化のインフラ増強は化石燃料支払いの代わりに国内に新たな投資を喚起し、ビジネスと雇用創出の役割を担う。

（３）再生エネ電源化：東京工業大学　佐々木大輔助教授、東京大学　荻野肇客員連携研究員
　再生エネ普及の鍵は広域送電である。再生エネの優位

性は、施工が早く、設備が軽く、運転の人手は少なく、燃料供給と費用は不要といった点である。

【電源構成比の推移】

	火力全体	原子力	再生エネ
2010 年度	65%	25%	10%
2018 年度	77%	6%	17%
2030 年度目標	56%	20 ～ 22%	22 ～ 24%

　日本では太陽光発電の余剰電力を捨てている。これをなくす電力システム再構築が必要である。再生エネ限界費用（1キロワット時を生産するのに必要なコスト、すなわち固定費を差し引いた運転費用）はゼロであり、この様な電源を使えるようにするインセンティブとルールが必要である。この低コストを優先して使用する送電ルールにしなければならない。それをやらないのは、宝の持ち腐れとなる。

　現在のルールは送電線接続先着順の送電線使用権であり、火力発電が占めている。さらに広域化せねばならないし、末端の送電線までルールを及ぼすことが必定である。

　次に、全国的な電力取引である電力卸売市場の役割も

重要である。コストに応じた電力融通を市場で支える
が、０３年に創設された市場はまだ活性化されていな
い。地域独占の大手電力会社は発電から送電、小売りま
で担い、市場での外部調達は制限されている。１６年の
電力小売り自由化後も、発電・送電一体会社との取引が
多く、コストより供給の信頼性が勝っている。

　安い電源の優先接続と広域売買の下に分離の各社が競
争的な電力取引を追求すれば、卸売市場の価値は高ま
り、市場原理に合わせて、再生エネの調達、投資に各社
は動く。市場原理に基づき、コストが高く環境負荷の大
きい火力発電は自然淘汰に向かう。太陽光以外の再生エ
ネによる補完関係も重要。早朝や日没後にも発電可能な
風力発電、眠っている揚水発電の利用である。電源は限
界費用の低い、原発、夜間の余剰電力、再生エネ等の有
効利用等の組み合わせが考えられる。

　デジタル化とＡＩ化を駆使し、既存システムとＩＣＴ
の融合を推進しつつ、再生エネを主力電源化する事が目
標である。

（４）電力の性格：東京工業大学　柏木孝夫特命教授
　電力の基本的性格は火力・再生エネ問題に深く関わ
る。世界の電力需要は、１９８０年以降、年率２．６～
３．５％のペースで増え、９０年代の１０兆キロワット

時から１８年には２７兆キロワット時と２.７倍になった。大部分が石炭火力であり、この傾向は続く様相だ。なぜなら、アジア諸国の電力需要が４倍以上に増え、その大部分が石炭火力であって、世界の経済成長がアジア中心という背景があるからである。

仏、英、伊等の欧州は３０年までに石炭火力廃止を公約したが、比率は極めて小さい。電力システムは厄介な性格があり、需要カーブに合わせて発電せねばならない。需要と供給が同時同量の原則なのである。発電が多すぎると送電配電網の電圧が上がる。太陽光や風力のように気象により不安定な再生エネは出力が安定せず、周波数を変動させ、ある範囲を超えると停電を招く。発電の不安定さが、再生エネの欠点である。安定性は化石燃料が最上位だ。この様な事情があって、日本は脱炭素政策の一環で、非効率な石炭から脱して新型高効率な石炭に変えて火力発電を維持する政策をとっている。その政策を行いながらの再生エネ主力電源である。

原発は、世界では主力電源の位置にある。特に米中英は原発強化の筆頭だ。米英では小型原子炉の商用化を目指しており、米では２６年に運転開始とするベンチャーへの支援も行われ、英でもロールスロイス小型原子炉開発支援という新局面が報じられている。

日本は福島第一原発事故という特殊事情から、安全性のコンセンサスがなく、安定的供給の原発及び化石火力と不安定な再生エネ主力化の狭間で苦慮する位置づけである。

　その中で２０年、政府は環境イノベーション戦略を策定、５分野、１６課題、３９テーマを選択し、世界の脱炭素社会実現に向けた技術開発を進める。この革新技術が普及すれば、毎年の世界排出量４９０億トン以上の削減が可能となるとしている。５分野とは、非化石エネ、エネネットワーク、水素、ＣＯ２、回収・利用・貯留である。

【課題と私見】

　資源大変動から生じる電源構成最適化が重要性を増しているが、各国それぞれの事情で、世界的一致は困難である。エネルギー使用側のガス排出量が少ないに越したことはないが、現実には、経済成長と排ガスの双方を考えた適正水準を求めることになる。排ガス削減コストが高すぎると、排出削減は進まない。その結果、最適電源構成が、事情の異なる各国でまちまちに作成される。

　日本の例では、１３年の１４.１億トン排ガスをゼロにするために、電源を全て再生エネに、産業・運輸・家庭等の排ガスもゼロにしなければ達成できないが、この条件は相当の難題である。炭素を吸収する技術等で、カー

ボンニュートラルを目標と宣言するが、技術と資金の裏付けは明確ではない。ゼロ宣言をやっても、極めて土台の危ういままの発表であり、「２０００年初頭の、ＩＴ先端国家宣言の失敗」の轍を踏みかねない。信頼性の高い、持続可能な総合対応に切り替えた発表にすべきだ。

　最後の「むすび」述べるような日本再構築企画会社のごとき組織で総合対応する必要性を強調しておきたい。

第6章　環境問題の具体的内容
世界の核のゴミ、プラスティックゴミ、無駄、大量廃棄物、日本の放射性廃棄物

（1）世界の核のゴミ

　世界中におびただしい数の原発が建設され、今なお多くの新規建設が控えている。しかし、使用済みの燃料からウランなどを取り出した後に出る廃液の処分、すなわちトイレは後回しになっている。トイレのない世界を想像すると恐ろしい。

　日、仏、ロシアは使用済み燃料を再処理してプルトニューム等を再び燃料として取り出し、残る高レベル放射能廃棄物をゴミとして処分する方式を採用している。廃液は溶かしたガラスで固められ、地中３００ｍ以上深い場所に埋める。日本では英仏から返還された大量のゴミを青森県に山積みしている。処分場問題は世界の悩みだが、具体的に進んでいるのはフィンランドでのみで、米国ではネバダ州の施設がオバマ政権により計画廃止、英、スイス、ベルギーも建設着手に至らないのは、日本と同様に住民の同意が得られないからだ。

　処分場決定には２０年かかるといわれている。文献調査は、地質図、学術論文、データ調査、当該自治体による検討まで含まれ、実際のボーリングによる地質調査を

経て、施設を造るための精密調査を行うという気の遠くなる時間を要するのである。地下水が多ければ、ただちに候補から外さねばならない。トイレを作るのは大変だ。

　フィンランドでは１５年にスタートし、ゴミを地下４５０ｍに１０万年にわたり閉じ込める計画が進行中。２２年に完成を目指している。実験施設はすでに稼働しており、原発２基から車で１０分ほどの場所である。坑道は高さ、幅共に５ｍ以上あり、息苦しさはなく、さらに小道が伸びて複雑な縦穴に突き当たる。核のゴミを金属容器に封入し挿入する。この実験施設を拡張する形で本格建設を進める。

　１００年後に施設が満杯になった段階で封鎖、最大容量は９０００トン、計６基の原発を５０～６０年稼働させた場合のゴミの量となっている。建設費は電力料金に上乗せする徴収法だ。１９７０年に原発初稼働と同時にトイレ作りを始めており、自国処理を法律で制定した唯一の国である。

　日本では２０２０年に入り、北海道の寿都町と神恵内町が文献調査を受け入れたばかり。２００７年に高知県の東洋町が町民の反対で撤回した。原発で保管しているゴミはガラス固化体２６,０００本で、行き場のない状

態が続いている。エネルギー政策の原発新建設に対し、フィンランドを見習って、それぞれの国が将来の計画として、トイレ設置を義務付ける必要があるのではないだろうか。

　世界的に原発新設優先を許したことに歯止めをかけ、バックエンドを義務付けねば、原発ゼロが実現しても残る問題があるという事である。世界が共同トイレを建設する事も、真剣に検討せねばならない。

（2）プラスティックゴミ

　海岸に打ち寄せられたプラスティックゴミ、鯨のおなかの中に見つかった数々のプラスティック製品は今や、おなじみの光景である。プラスティック使用制限が世界運動になっているが、官民の取り組みが始まり、さらに広く、深く進められそうだ。

　３Ｒ（リデュース、リユース、リサイクル）の典型的製品がプラスティックであり、国民生活でも、その成形のしやすさ、軽量で機能性に優れ、食品保存や安全面の効果から、不可欠な素材であるだけに、社会に与える影響は大きい。

　商品として思い当たるだけでも、おもちゃ、傘、容器、小物入れなどのボックス、家具、文具、装飾品、建材、包装袋等々、日常生活に密着した素材であり、３Ｒを行

うにしても容易に達成されるものではないが、２０２０年になって使用削減の趨勢が強まったのは確かである。例を挙げると、飲料メーカーのプラスティックボトル使用が８割を占めるが、２０年末までにリサイクル素材あるいは植物由来素材１００％とし、化石由来素材をゼロにする方針決定を発表している。

　２０２０年、日本の廃プラスティック構成は、ＰＥ（ポリエチレン）とＰＰ（ポリプロピレン）が５５％を占め、そのリサイクル率は総排出量の８％に過ぎない。世界のリサイクル率も７％で、技術進化による伸びしろはまだまだある。ゴミ袋の分野では、再生材化が１００％に向かいつつあり、この切り替えを実行する企業が価値を上げるという結果も出ている。

　この様な循環活動の取り組みは経済活動へと移りつつある。事業活動の持続性を高め、競争力確保につなげる経営戦略に組み入れられつつあるのである。これには国や自治体も支援に乗り出している。例えば、３Ｒの新たなビジネスモデルには東京都が共同で事業に取り組み、一件当たり１５００万円を負担する。

　リデュース分野で実行を上げる考え方に、

① 現行の品質を維持しながら減らす

② 要求品質を見直して減らす

③ 用途・行動を見直す
の3点が指摘されている。

　レジ袋ではマイバッグ使用、バイオマス配合や紙などの環境配慮素材使用でプラスティック素材ゼロ化の実行、有料化実施といった試行が始まり、当初辞退率30％程度と考えられたのが、実際には80％となったことが報告されている。「お金を使うのがもったいない」「格好が悪い」が消費者意識に表れ始めたとの分析である。

　ただし、レジ袋は廃プラのわずか2％であり、全体像を捉える必要がある。リデュースの主役は事業者ではなく消費者であることが実証され始めた。削減に対するインセンティブがあると有効な策になることも明らかになった。「不必要なものはもらわない」の消費者心理に注目すべきである。

　プリサイクルとは代用品を使うなど、ゴミを生み出さない消費の事、レジ袋の代わりにマイバッグを用意して買い物をする消費者マインドがそれである。過剰包装は不要という考えもファッションと同様に伝わる世の中となり、生活様式の変遷である。

　地球規模のプラスティック海洋汚染が問題視されると同時に、プラスティック関係業者が動き出した。細かく

砕けたマイクロプラスティックが食物連鎖を通じて人間の健康に影響する懸念が出てきたこともあり、業界としての対処が迫られたのである。

２０１９年、Ｇ２０大阪サミットで、海洋プラスティックゴミの新たな汚染を５０年までにゼロにする「大阪ブルーオーシャンビジョン」の実現を参加国が共有した。民間企業によるイノベーションの取り組みである「クリーンオーシャン・マテリアル・アライアンス（ＣＬＯＭＡ）に期待が寄せられた。

プラスティックは軽く、強く、成形しやすく、透明化も可能で、安いという決定的優位性から、世界的に生活の豊かさに貢献してきた。その一方で、ゴミ問題が深刻化、世界の海に１.５億トンのプラスティックが投棄されるに及んで、今なお８００万トンのペースで毎年増え続けている。

２０１９年に発足したＣＬＯＭＡは、経産省のバックアップで、プラスティック製品のサプライチェーンを構成する企業３６１社の参加を得ている。

流出プラスティックの回収と新たな流出阻止に向けて、技術、ノウハウ、３Ｒの促進策を話し合い、決定事項を実行している。

ＣＬＯＭＡアクションプランである

①プラスティック使用削減

② マテリアル　リサイクル率向上

③ ケミカルリサイクル技術の開発・社会実装

④ 生分解性プラスティックの開発・利用

⑤ 紙・セルロース素材の開発・利用

の５つのキーアクションを決定した。

（３）無駄（もったいない）

　常日頃スーパーで大量の総菜が並べられているのを見る一方で、テレビニュースでは売れ残った大量の食物が惜しげなく捨てられる映像にショックを受けるのは筆者だけではないと思う。飢餓で死亡するアフリカの子供と重ね合わせ、先進国での無駄を放置する姿に耐える事が出来ない。

　以前、アフリカから来日した大臣が、栓をひねれば飲料水がでるシステムがどれほどアフリカで有難いかを訴え、水が不必要に使われるのを見て、日本語の「もったいない」を何度も口にした。それ以来、「もったいない」は「つなみ」と同じように、世界語となった。先進国でも「もったいない」が生活様式を変え、無駄が削がれて節約が標準化されるかもしれない。

　ＩＣＴの進化により、環境問題の廃棄物処理改善に当たる「売り残りゼロ」への動きが発表されている。三菱

商事の食品流通分野での話である。メーカーから小売り
までの流通上のデータを収集し、需要予測を高度化する
ＡＩを活用して、売れ残りゼロを目指す試みである。流
通の各段階で欠品も売れ残りも発生させない。適切在庫
をＡＩに推測させるもので、総合商社の強みを発揮して
いると言える。

　グループ関連企業全てにＤＸ（デジタルトランス
フォーメーション）を実施する。現在の行動は、「メーカー
は欠品が怖いから多めに作り、卸業は小売業からの注文
増に備えて多めに仕入れ、小売業は売れ行きが判らない
から多めに仕入れる」という考えに基づいている。総合
商社はこのサプライチェーン全体を管理するので、「多
め」を排除できる立場だ。

　幅広いデータが使われ、倉庫からの出荷量や調達にか
かる時間等多種多様の情報をＡＩに学習させ、販売のブ
レまで考慮させる。食品ロスが解消され、参加企業の利
益が向上すれば、システムそのものの販売や店舗運営の
コンサルティング、新規顧客開拓にもつながるという。
食品流通から始めたシステムは日用品、自動車、建材、
化学品、産業素材等に展開できる。総合商社にぴったり
の取り組みと言えよう。産業ＤＸと名付けたそうだ。

　三菱商事が目指す次世代商社は、Ｂ２Ｂ「Business to

Business　企業間」プラットフォーマーであるという。
２００万種の商品を扱う自社データから商流を最適化す
るという事である。同社だけに留まらず、他の総合商社
も、ＤＸセンターの立ち上げ等、次世代事業開発に取り
組んでいる。共通するのは、縦割りを打破する姿勢であ
り、ラーメンからロケットまで扱う幅広さであり、商流
データが商社固有の宝である事だ。世に貢献する大きな
要素である。

　商社に在籍した筆者は、商社を何と英訳するかに直面
した際、「ビジネスクリエーター」と言い続けてきた。
トレーディングカンパニーではない。明治時代は手形に
よる金融機能、その後は、仲介・貿易・資源開発等の機
能を経て、プロジェクトを完成させるオーガナイザーと
言われた。過去にこの様な機能の変遷があったが、今日
では、新たなビジネスモデルを始めとするクリエーター
機能が主役であり、上述の例は始まりに過ぎない。

（4）大量廃棄物処理の難しさ

　廃棄物処理法によると、「ゴミ、粗大ゴミ、燃え殻、
汚泥、糞尿、廃油、廃酸、廃アルカリ、動物死体その他
の汚物または不要物であって、固形状または液状」とあ
る。産業廃棄物と一般廃棄物に分類される。また、有価
物は廃棄物ではないとの判断である。さらに、不要となっ

たものとの解釈もなされている。

　収集、運搬に関しては、「排出者処理の負担金額が安く、排出量に応じた負担がなされないため、排出者に削減インセンティブがない」という環境経済学の発想から、日本各地でゴミ処理有料化が行われているのが現状である。

【平成 29 年度の廃棄物量】

	産業廃棄物		一般廃棄物
総排出量	3.8354 億トン	総排出量	4,289 万トン
再生利用量	2.0021 億トン	総資源化量	868 万トン
減量化量	1.7363 億トン	最終処分量	386 万トン
最終処分量	969 万トン		

　９割近くが産廃であり、処分方法は焼却、埋め立てを主力とする。埋め立てる最終処分場の残余年数は平成２６年以降、微増傾向である一方、処分場の数は減少傾向にある。平成３０年までの一般廃棄物処分場は１，６３９施設、残余容量１０１，３４１千㎥で、減少を辿り、残余年数は２１．６年となった。

①一般廃棄物

　食料の廃棄が多く、１，７６７万トンに上り、可食部

分は３２８万トン１８．６％を占める。焼却・埋め立てによる処分量は３２９万トンであった。家庭の生ゴミは７８３万トン、うち可食部分（食べ残し、過剰除去、直接廃棄）は２８４万トン、３６．３％である。事業系と家庭の食品由来の廃棄物総量は２,５５０万トン、その内、本来食べられるにもかかわらず捨てられる食品ロスが６１２万トンと推計されており、もったいない。

②産業廃棄物

　原油などの爆発性、廃酸・廃アルカリ等の毒性、感染症などの人の健康または環境に係る被害を生ずるもの等を特定管理産業廃棄物（とっかん）と言い、廃ポリ塩化ビニール（ＰＣＢ）及び汚染物、廃石綿、煤塵等を特定有害産業廃棄物と言う。一般廃棄物は市町村に処理責任があるのに対し、産廃は排出事業者に責任を負わせるので、法的に扱いが異なる。

　市町村の一般廃棄物施設を産廃処理に使用する事は出来ない。産廃処理事業者は許可取得を要する。なお、産廃に該当しない事業活動に伴う廃棄物は事業者自らが処理するか、市町村の許可を受けた業者に処分委託しなければならない。

　代表的な産廃は、燃え殻・汚泥（ケミカル、紙・液体）・廃油・廃酸（廃硫酸等）・廃アルカリ（石灰廃液、アン

モニア廃液等）・廃プラスティック（廃発泡スチロール、フィルム、ポリ容器等）・ゴムくず（燃えゴム、切断ゴム等）・金属くず（古鉄、ブリキ、トタン等）・ガラス・コンクリート・陶器くず・鉱さい（高炉の残さい、不良鉱石等）・がれき類・煤塵等々である。

　一般廃棄と産廃の合計の排出量は、平成１５年、１６年、１７年、１８年それぞれに対し、４.１２、４.１７、４.２２、５.００億トンと増加傾向である。上位三品目は、汚泥４４.５％、動物の糞尿２０.７％、がれき類１４.４％で８割を占める。

　不法投棄が増える傾向にあるが、背景は、
　＊排出量に比較して処分場が慢性的に不足
　＊処理技術向上により、処理費用が増加
　＊トラック輸送が低価格である事、燃料費削減を目的
　　とする不正軽油使用の増大
が指摘されている。
　年１０００件の不法投棄が行われるに至り、投棄地で水質汚染、環境汚染を起こしている。各自治体は排出者責任を強化する手段を打ち出さざるを得なくなっている。
　ところが、責任負担にも限界が生じている。排出者を特定しても直接投棄者が特定出来ないのである。処理業

者に資力がなく、撤去費用が負担されない等の支障が出たためである。民法では、過失のないものには民事上の責任は発生しない（過失責任の原則）ので、排出と過失の有無が絡むと論争の種となることも早期解決の妨げとなっている。真にすっきりしないが、排出者に過失がない限り、不法投棄であっても法的責任を負う根拠が存在しないことになり、理不尽な話である。

（5）日本の放射性廃棄物

国内法では、核燃料物質であるが、それ以外の放射性同意元素（レイディオアイソトープ　ＲＩ）であるかの違いで法律が異なる。なお、放射性廃棄物は一般廃棄物や産業廃棄物と分けて、廃棄物処理と清掃に関する法律で定義される廃棄物には該当しないとしている。ただし、放射能レベルがクリアランスレベル以下または規制対象の場合は放射性廃棄物ではなく、一般または産業廃棄物として処理される。

原発からの放射性廃棄物の場合、使用済み核燃料や作業員の衣服からの除去に使用した水等多岐にわたる。使用済み核燃料は再処理工場に運ばれ、そこでは核分裂反応による生成物、ウラン、プルトニュームの分離抽出で発生した廃液が発生、また発生別に、ヨウ素を閉じ込めるための廃銀吸着剤、二次廃棄分のウラン燃料を加工す

る施設から発生するウラン廃棄物の発生がある。

　東京電力福島第一原子力発電所事故による放射性物質による環境汚染には特別措置法が公布・施行となり、特定廃棄物として特別分類された。さらなる分類として、使用済み核燃料の再処理の溶解に使った硝酸を主とする廃液、固化体のみを指す高レベル放射性廃棄物、それ以外の低レベル放射性廃棄物が、放射性物質起因の被ばく線量が自然界レベルと比較して充分小さく、健康へのリスクがないものであれば、規制の枠組みから外す考えをクリアランスと呼び、放射性物質と扱わないクリアランスレベルがある。

　クリアランスレベルの算出は、事故地域の安全性を表示する手段だが、その算出に使用する廃棄物処分方法に下記がある。

①第二種廃棄物処理

　余裕震度処分：住居や建設の土地利用、構造物基盤、地下鉄、上下水道、地下室等の地下利用に対し、十分な深度（地下５０〜１００ｍ）にコンクリートで人工構築物を作って埋設。比較的高い放射能に対する処理である。

　浅地中ピット処分：浅い地中、地下１０ｍ程度にコンクリートピット等の人工構築物を設置し埋設。

　浅地中トレンチ処分：浅い地中に素掘り溝、すなわち

トレンチを掘り、そのまま埋設する（構築物なし）

②第一種廃棄物処理

　高レベル放射性廃棄物の規制である。過去に様々な方法が検討された。

　海洋放棄（１９９３年全面廃止）、地上長期保管（未実施）、氷床処分（禁止）、宇宙処分（大気圏外に打ち上げ、太陽系引力圏外に放出あるいは太陽引力に引き寄せさせる方法、米国の研究だったが不確実性とコストから不採用）、地中直接注入（米ソ実施、２１世紀初頭から地中埋設処分が主流となっている）である。

③放射能の性質

　半減期を過ぎると弱くなり、大部分が安定した物質に変化する。半減期と単位時間当たりの放射線量は反比例し、半減期の長い物質は単位時間当たりの放射線量が少ない。半減期を経過すると元の半分になるが、残った放射性物質がさらに半分（元の四分の一）になるのにも同じ時間がかかる。

　半減期が１２年のトリチュームの場合、１２年後に５０％、２４年後２５％、３６年後１２.５％といった具合で、ゼロに近づくのみで、無害と判断される年数は物質によって異なる。

処分方法	廃棄物	封入容器	人工構築物	深度	管理期間
地層	高レベル放射能	ガラス固化体	鉄筋コンクリ	300 m以上	数万年
余裕深度	制御棒、構造物	200 L ドラム缶	鉄筋コンクリ	50〜100 m	数百年
浅地中ピット	廃液、フィルター	セメント固化	鉄筋コンクリ	15 m	300 年
浅地中トレンチ	コンクリ、金属	廃棄物のまま	人工構築物		50 年

【課題と私見】

　以上に見る通り、廃棄物処理は非常に厄介であり、住民の了解工作、危険度の推量、長期処分時間、そして莫大なコストが伴う。放射性の場合、排出量を減らす努力と処理の効率化の双方から全体の減災を講じねばならない。また地震、風水害の都度、廃棄物は不特定の量で発生し、早期生活復元がかかるだけに、常時不測の事態に備える体制と人々のマインドが必要となる。自然災害に耐える構造物開発は転ばぬ先の杖であり、後回しに出来ない。

　いずれにしても新たな発想と技術の進化は欠かせず、資金の裏付けなしには一歩も前に進まない。廃棄物処理は後ろ向きの仕事であり、新素材開発等の注目を浴びる前向きではない事もあって、どうしても後回しになりがちである。日本は処理が出来なくなる限界点にきており、前向きの仕事と同じレベルで対処せねばならない。

世界共通の悩みでもあり、国際的枠組みも必要とされる。全体像を捉えて総合対策は必定である。

第7章　環境問題の具体的内容
自然災害と人工的災害

　日本は世界的に最も自然災害の多い国に入り、かつ原発事故のように自然災害からの誘因での人工災害を含めると、ダントツの災害被災国と言える。その対処法は世界の範になるべきもので、技術・ノウハウ・法制・システム等、他国に伝授すべき内容のレベルを上げねばならない。この様な観点から、多くの人々が基礎知識を得て、公式・非公式に他国に伝えることは重要と考える。

（1）災害とは
　人間に影響する事態に限られ、例えば誰も住んでいない場所や構造物のないところで、洪水や土砂崩れが発生しても災害ではない。また、自然災害の性質として、現象を止める事が出来ない点があり、人工的災害との相違がある。
　災害要因は二つ、災害のきっかけとなる現象、例えば地震や洪水のような外力（ハザード）を「誘因」と言い、社会の持つ災害への脆弱性、例えば人口集積や防災力の弱さを「素因」という。災害は誘因が素因に影響して起こるもので、防災力（素因）を超える外力（誘因）に

見舞われると災害になる。「誘因を理解し、素因を低減する事が必要となる」。その例は、１９９５年のマグニチュード（Ｍ）７.３の兵庫県南部地震では６,０００人超の死者が出たが、２０００年のＭ７.３の鳥取県西部地震では死者ゼロであった。同じ規模の地震でも、素因（脆弱性）を低減すれば災害にならないという事である。

（２）災害観

　誘因を制御できる技術はいまだ開発されておらず、科学的対処は出来ないし、確率の問題である。寺田虎彦の名言、「不測の災害に不断の備え」は人類が行える行動を示唆している。治水技術の向上で一定の水害抑止が可能であったし、地形や地層を手掛かりにして、土地が受けやすい災害を推測する事が可能となったのは減災の典型例である。

　災害リスクに対する価値観の問題もある。回避型（めったにない災害に備えるために労力、出費を厭わない）、志向型（頻度の低い災害に備えるより、当面のメリットである費用削減や快適性を求める）、その中間、の３タイプがあり、人々はそれぞれを選択する。災害は起こると生死の問題であるのに、普段の生活では縁遠い。問題を過小評価して大問題を成すという重要課題だが、大半の人が積極的対処に消極的である。公助に頼り、技術進

化に期待するだけでは、防災を達成するのは難しい。各人のマインド向上は絶対条件である。

（3）法整備

世界的にも災害被害の多い日本は、法整備や諸々の対応でも模範となりうる。

災害対策基本法では災害を「暴風、竜巻、豪雨、豪雪、洪水、がけ崩れ、土石流、高潮、地震、津波、噴火、地滑り、他自然現象、大規模火事、爆発の及ぼす被害の程度に於いて、これらに類する政令で定める原因により生ずる被害」と定義している。「これらに類する政令で定める原因」とは、放射性物質の大量放出、沈没船遭難等である。すなわち自然災害以外も含まれる。

（4）災害の種類

① 自然災害（気象災害、地震、噴火）

② 人工的災害（日常災害として転落、転倒、落下物受傷、中毒、溺水、火傷、感電等）、その他に、製品事故、食品事故、医療事故、暴動、犯罪がある。

（5）廃棄物

第6章で詳細を述べたが、本章では一般的概念を中心に、対処内容を整理する。

①基本理念は、リデュース・リユース・リサイクルの3Ｒ推進であり、廃棄物排出抑制、環境の保全、衛生の向上を前提としている。不適正処理の防止他環境負荷に配慮しつつ再使用、再生利用、回収の順で、「適正な循環的利用」を行う趣旨である

②強靭な一般廃棄物処理とシステムを確保し、老朽化した廃棄物処理システムの改良と更新を行う

③ 地方自治体の自主性と創意を活かしながら、国の適切な交付金制度の下、循環型社会の形成を目指す

④ 排出抑制、処分量削減、着実な最終処分を行い。リサイクル率の引き上げ（２６％程度まで）、最終処分場の残余年数を平成２４年度水準維持を目指す

⑤ 焼却時に高効率発電を設置し、回収エネルギー量を確保する

⑥ し尿他生活排水処理の推進と水環境保全を行う

　以上の諸事項遂行のためには、自治体と住民のコラボ、広域的システム、処理施設への住民理解、バイオマスの利活用等が欠かせず、全国・地方の取り組みアイディアの公表等で拡大を要する。

【課題と私見】

　以上の通り、自然・人工両災害に対する対応策は種々の方面にわたるが、大きく分けて以下である。

（Ａ）災害発生そのものの抑制

（Ｂ）災害発生後の第二次災害防止等の減災

（Ｃ）災害排出物の処理

（Ｄ）災害発生に係る全ての法的整備

（Ｅ）国民に対する心構え等のマインド高揚

（Ｆ）すべての項目に充当する施設、機器などに関わ
　　　るＩＣＴ活用

　不幸にして、日本は災害対策基本法に定義された災害
名全てにわたり、毎年最も多く被災する国の一つであ
り、対応策の構築国としては最適国である。世界に冠た
る防災国に仕上げねばならない。とりわけ、後述する「技
術」の章で、その達成を提唱したい。

第8章　環境問題の具体的内容
環境保護と社会的影響

（1）地球温暖化

　二酸化炭素ＣＯ２やメタン等の温暖化ガスが大気中に増え、地球規模で気温が上昇する現象の事である。温暖化ガスは熱エネルギーを吸収しやすいため、熱を宇宙空間に放出出来なくなり、地上温度が上がる。異常気象が発生しやすくなるほか、北極・南極の氷が溶けて海面が上昇、島国や沿岸部が水没する恐れを生じる。

　２０２０年は史上最も暑い夏となった。１９年に続いて記録の更新である。６～８月の北半球の平均気温は、過去１４０年の平均気温を１．１７度上回り、海上でも同じく１．０９度上回った。上昇度数の大きさに驚く。

　温暖化の影響とするのが、専門家の総意である。６月にロシアの北極圏にある町で３８度を記録し、米カリフォルニア州の山火事が広がった８月は、北米気温が過去最高となって、山火事が長引く原因にもなった。また山火事による大気汚染も深刻化している。温暖化は豪雨や暴風の原因でもあり、空気中の水蒸気の量に影響を与え豪雨を起こす。気温上昇は海洋上で水蒸気を増やすので、それを風が地上に運んでくるのである。

地球を暖める効果のある気体は二酸化炭素（ＣＯ２）や天然ガスの主成分であるメタン、冷房に使うフロンが代表例である。日本は１８年度に１２.４億トンを排出、そのうち９１.７％がＣＯ２であり、その９０％がエネルギー起源となっている。エネルギー起源は発電所と製油所が４０％を占め、工場などの産業が２５％、自動車などの運輸が１８％である。森林や海による吸収には限界があり、排出を削減する事が最大の解決策である。

　ＣＯ２は化石燃料により増加し、森林と海による吸収量と同じに出来れば、カーボンニュートラルを達成し、温暖化を軽減出来る。熱帯雨林の伐採や森林火災で吸収が難しく、ガス排出減に資金と技術進化が向けられると同時に、排出ガスの地中埋設への注力も為されつつある。

（２）京都議定書とパリ協定

　１９９７年京都議定書により、二酸化炭素、メタン、フロンガス等の温室ガス総排出量削減が取り決められた。先進国全体で２０１２年までに１９９０年の総排出量を５.２％削減、２０５０年までに５０％削減をも取り決めた。長期目標に比べ微々たる感があるが、合意したことに価値がある。それほど、各先進国の発展と社会コスト負担削減の二兎を追う難しさがある。

　１９９７年採択の京都議定書以来、１８年ぶりの気候

変動に関する国際的枠組み、１９６カ国全てが参加する史上初の協定がパリ協定、２０００年以降の地球温暖化対策を定めた協定である。２０１９年１２月現在の批准国・団体数は１８７、参加していないのは、内戦中のシリアとより厳しい規制を求めるニカラグアのみである。

その後、１６年に誕生した米新大統領がアメリカ第一主義の下、米製造業の競争力を削ぐものであり、同協定が中国による中国のためのものとして、１９年１１月４日正式に離脱、苦難の末に合意できた歴史的協定の一角が崩れた。世界第２位の温室効果ガス排出国アメリカが抜けたが、第１位排出国の中国は逆に米国への対抗姿勢を取り、世界最大の排出取引市場を設立した。

本協定目的は、産業革命前からの気温上昇を１.５度未満に抑える事を目指し、あらゆる分野で温暖化につながる行為を避ける画期的な多国間協定で、国別主張を抑えて成功した類まれな、貴重な合意である。

骨子は、世界の平均上昇気温１.５度を達成するため（第二条）、世界全体の温室効果ガス排出量が出来るだけ速やかにピークに達する事及びその後の利用可能な最良の科学に基づいて、迅速な削減に取り組むことを目的としている（第四条第一項）。その結果、持続可能な開発に貢献し、適当な対応を確保するため、この協定により、気候変動への適応に関する能力向上並びに気候変動に対

する強靭性の強化及び脆弱性の減少（第七条第一項）に関する世界全体の目標とするというものである。

（3）生物多様化の維持

　生物多様性条約は１９９２年にブラジルで開催された国連環境開発会議で採択された条約である。多様な生物と生息環境の保全、生物資源を持続可能に利用する、生物資源から得られる利益を公正に分配する、の３点を目標としている。１９０カ国以上が締約する締約会議（ＣＯＰ）は２年に１度開催され、２０２１年には、中国で第１５回目の会議が予定されている。全世界の生物種は１７５万といわれているが、知られていない種が報告され、生態系を守る重要性は増している。

　愛知目標というのが２０１０年に名古屋で開催されたＣＯＰ１０で決まった。すなわち、第１０回締約国会議の生物多様性条約である。２０項目の目標の内、過去１０年を評価したところ、達成が僅か５項目で、不満足な結果に終わっている。特に悪化したのが４項目で、森林破壊では陸の生物の８割が棲むことから重大な影響を指摘され、海の生物では、サンゴ礁のような脆弱な生態系悪化が食い止められず、絶滅危惧種の保全改善も未達であった。未達の原因の一つは、温暖化であり、世界平均気温がこの１００年で、１度近く上昇している。森林

火災、海水温度上昇による異常気象は急速な環境変化をもたらし、生物にとっての脅威である。ブラジル政府の政略がアマゾンの熱帯雨林伐採という、自然保護より経済優先であったり、米国のパリ協定離脱による雰囲気悪化等は悪影響が大きい。

　人間社会は生物や自然環境から測り知れない恩恵を受け、愛知目標の未達を厳しく受け止め、意欲表明に終わるのではなく、現実的取り組みにギアを入れる事が肝要である。

【課題と私見】

　地球温暖化の悪影響が、２０２０年の夏、酷暑や山火事の形で実証されたとみられる。温暖化の深刻さが実感される中で、京都議定書や愛知目標の取り決めが達成されなかったり、パリ協定という苦難の末の合意から米国が脱退する現実に、虚しさを禁じ得ない（その後2021年に誕生した米国新政権がパリ協定復帰を宣言、温暖化に対する態勢が整う）。特定国が自己中心を貫き通す以上、苦渋の合意はもろく、容易に崩れるのは当然である。忍び難きを忍んで妥協した１９０カ国が、それぞれの犠牲を払う以外に、目標達成の道はないのである。

　強制力もペナルティーもない約束・目標であるだけに、達成への信頼性は低いと言わざるを得ない。しか

し、国連主導のＳＤＧｓの下で、世界の企業がＥＳＧを
謳い、具体的な実施に入る努力を評価し、世界が当該企
業の価値を引き上げるという段階に到達したことは、国
や企業が「為せば成る」を実証したわけで、大きな最終
目標への第一歩である。２０２１年以降の国と企業の行
動から目が離せない。

第9章　環境問題の政治問題化と国際問題化

　環境対策には貧困や人口問題が関わってくる。利益主義に徹する企業は汚染物垂れ流しにコストをかけず、周辺の貧困者の犠牲のもとに、自己繁栄のみに興味を持つ貧困国に多く、人口密集地ほど被害が大きいのが現実である。この様に社会コストをかけない企業が社会より批判を受け、イメージダウンによって企業価値を喪失するケースが多くなっている。直接環境を害さなくても、ＥＳＧへの配慮や環境保護の理念が企業価値を左右する時代となり、これに気づかない経営者は失格する。

　自由貿易協定（ＦＴＡ）の交渉で、環境基準を交渉の道具にしているのがＥＵだ。相手国企業との競争力が失われないように、環境基準を守る条件を強いるのである。ＥＵが南米共同市場（メルコスル）、すなわち、ブラジル・アルゼンチン・ウルグアイとＦＴＡの政治合意した際、森林保護の不備を理由に、ＥＵが批准に反対した。２０年間の交渉を経て、１９年６月に政治合意したＦＴＡが宙に浮いているのである。アマゾンの森林消失を食い止める規定が履行されておらず、森林火災が前年の１４％増し、違法伐採も止まないままであり、メルコ

スル側が積極的に対応しない限り、ＥＵは批准しないと決断している。

　環境規制が大きく異なると、コスト競争力を失うとの危機感が、ＥＵ側では大きい。ＥＵは５０年に、温暖化ガス排出をゼロにする目標だが、緩い規制を求めて、企業の汚染に無関心であることを決して許さない。措置として考えられるのが、規制の緩い地域で造られた製品に関税をかける「国境炭素税」であり、同時に外交を通じて、相手国の環境取り組みを促す考えである。環境の高い基準を相手国に求めれば求めるほど、交渉は長期化する。

　西側のこの様な動きの中で、中国の思惑も見逃せない。米国のパリ協定離脱を待っていたがごとく、中国は６０年末までにＣＯ２排出をゼロにする宣言を行った。環境問題で世界の主導権を握る態度表明なのだ。対米関係悪化の一途の中、環境重視のＥＵとは仲良くしておく思惑が透けて見える。従来のガス排出大国、インド・中国は、先進国が排出規制を先行すべきとの主張であったが、様変わりである。中国国家主席の発言、「各国は決定的一歩を踏み出さねばならない。世界の緑の復興を後押しする」は、かつてのリーダーである米国大統領の発言ではないかと聞き間違える。

温暖化ガス削減目標は技術革新を促す。電気自動車、蓄電池の進化を後押しし、自動車大国、中国のゼロエミッションは国力強化と相まって、覇権への道に映る。政治に利用されてはならない。

　中国は、６０年のＣＯ２排出量ゼロを宣言する一方で、一帯一路の経済圏構想では、中国の環境被害輸出となっており、これではゼロ宣言は意味をなさない。結果として、中国の取り組みが不十分であれば、米国にとり戦略的優位となるところだが、トランプ政権が環境保護に消極的で、環境問題が米中の思惑の道具に使われるだけで、世界の目標に向ける動きとは程遠い。中国の環境破壊輸出に対し、日米豪による透明性の高いインフラ開発構想「ブルードットネットワーク」を推進し、中国との相違を明確にして、真の環境保護を有言実行する事が肝要である。

　ケニア東部の観光地ラムのように、中国支援の石炭火力発電所建設に反対する地域も出始めた。しかし、環境を犠牲にしても経済支援を受けようとする政府も多く、中国は国外計画に積極的である。米国の消極的態度に対し、中国の空虚な約束が心地よく聞こえるようになるのは、世界の悲劇である。

　脱炭素社会に対し、中国に強みがあると表明している

のが、英調査会社ＩＨＳマークイットのダニエル・ヤーギン副会長である。中国は脱炭素が最も深刻な国で、石炭依存度が高い分、難易度が高い。供給網を見直すことで、世界経済を数１０年で作り変えるほどの影響力を有しているとしている。影響が大きいだけに、リーダーシップを取る可能性が高い。新秩序の勝者は中国となり、ロシア・中東産油国が敗者となる構図である。中国は石油の７０％を輸入するが、その量は減少に向かい、新エネルギーの太陽光、リチュームイオン電池等の供給網を通じた新戦略が打ち出されている。ＥＶに不可欠なリチュームは様々な国で採取されるが、電池製造能力で圧倒的なシェアを持つ中国が供給国の頂点である。太陽光パネル製造でも価格・質の両面で他国が追い付くのは困難だ。

　世の変遷に従って、生活パターンや考え方が変わる例を述べてきた。
　英国での車の展示場で、新車コーナーを通り越して、中古車に向かう流れもその一つ。コロナ禍で公共交通機関の利用を避ける呼びかけに対し、自家用車の独占的所有への動きが強まり、２台目や３台目を安く購入する現象である。先行きが見通せない時期に、用心深い買い手が高価で航続距離の短いＥＶを敬遠した結果であり、ディーラーは「昨年のＥＶ需要が供給を上回っていた状

態が逆転した」と言っていた。これが広がるようだと、注力はＣＯ２排出削減技術に向かい、ＥＶ化は暫しお休みとなるのだろうか。

　同じく、英国で、首相が３０年までに洋上風力発電を４０ギガ（１０億）ワットに増やし、１０年で全世帯の需要を賄うとぶち上げた。コスト１.６億ポンド（２１０億円）を投じ、施設増による６万人の雇用創出という内容である。これに対し、新聞論評は投資額が不足、全体像が掴めないなど、批判的である。ドイツでは、風力発電への反発があり、環境破壊であるとの皮肉な主張であるが、地上での設置場所の景観や騒音問題も検討課題ではある。

【課題と私見】

　企業は利益のために、コストのかかる有害物排出削減には消極的になり、国家も米国のように、産業の一つである石炭業界支援のために（政権の票田のために）、保護に消極的態度をとり、国際協定離脱までやってのけた。今後、社会全体のために、いかに一部の犠牲を受け入れさせるかが大きなテーマである。

　環境重視主義が途上国の経済発展を阻害し、貧困や人口密集地を直撃するとの途上国主張に、いかに対処するかも重要である。先進国は炭素税などで、後進国に対抗

する一方で、技術による有害物排出阻止に向けて、資金・技術の提供を実施する努力が必要であろう。

　ＣＯ２の最大排出国、中国が、自ら最先端技術を駆使して、ＥＶ・蓄電池・太陽光発電等の環境関連分野で排出制御のリーダーシップを発揮している。現在、中国にとり、格好の条件が整っていると言える。この様な地位が覇権に繋がってさえいなければ、真に喜ばしいことだ。しかし、一帯一路の拡大政策途上で、技術と資金が交渉の武器となって、「一帯」の地域国は経済発展のための技術と資金を中国から受け入れる見返りに、港湾施設や使用権を提供させられている。

　中国の大経済圏、太陽光・リチュームイオン電池等のサプライチェーン・環境技術等の強みに対し、ロシア・中東諸国が敗者となると言い切る英国調査会社のコメントは信ぴょう性が高い。今後、中国をいかに制御し、世界秩序を新たに構築するかが、グローバルレベルの課題である。

第 10 章　人の意識と企業イメージの変貌

　世の中の要望が趨勢を作り、さらにそれが制度、規制、ルール等の規律を強いる方向に向かい、企業はイメージアップに、政治家は自己宣伝に活用する。

　ＣＯ２排出の社会的コストを算出する事は脱炭素社会を作り上げる上で重要だが、そのコスト算出の技術開発に環境保全のためのグリーン補助金なる血税が使われる。技術を精査し、多くのデータを整えて補助金を申請するのは、大変な手間と資金が必要だが、それよりも気候変動を起こす技術（例えばガソリン車）を禁止する事も有意とする考えが増えつつある。

　２０２０年末時点で、１２カ国以上が一定の期日を以って石油由来の車販売を禁止すると表明した。政治家の見せかけの表明なのか、本物なのかは判らないが、現実に起きている。この様な厳しい措置を講じたという印象を与える事が重要であり、消費者に負担を強いたり、補助金のように財政を傷めるわけでもない。禁止された技術に替わる優れた技術がない場合、禁止された技術で得られる筈のメリットが消失するリスクがある。禁止政策が本当に実施されるのかが疑われ、実績のないまま続

くのか、次の政治家が禁止を覆すのか判らない、ではメーカーは投資を控えよう。結局、ＥＶもガソリン車も双方とも生産を続ける非効率となる。

カリフォルニア州はゼロエミッション車の比率を２００３年に１０％とする規制を導入したが、電池性能とコストが目標達成を拒み、下方修正した。それでも、電池技術が飛躍的に向上し、目標達成に向かった。

また、ノースカロライナ大学とダートマス大学ではＥＶがガソリン車を完全に代替しなくても、ガソリン車禁止措置は、ＣＯ２削減手段として、一般に考えられているほど非効率ではないと結論した。すなわち、炭素税を導入して、ＥＶへの完全移行が出来ればよいが、政治的理由で炭素税が不可能となっても、ガソリン車禁止で、若干の効率低下があるものの、それなりに効果があるという事だ。

ＥＶ車性能は時間と共に進化するし、代替は性能だけで決まるのではない。それとは別に、環境に負荷をかける技術を適切な計画の下で禁じるのが望ましいとの見解である。

禁止効果は間違いなくある。禁止発表と同時に消費者は、禁止車購入を控えるからである。メーカーは代替物であるＥＶに研究者や人材投入を増大させ、整備士やインフラまでにも投資せねばならず、炭素税と同じ効果が

あると認識されている。化石燃料禁止措置は車以外に、航空、発電等の主要産業にも影響する効果がある。

　投資マネー分野で、ファンドがＥＳＧ取り組み企業を選別する動きが見られる。ＣＯ２排出量の増減が時価総額に影響する。この方面で日本は見劣りし、マネーの素通りが懸念される。

　資産運用の世界において、１３７の機関投資家は、「気候変動に関する社会の要請や規制の強まり、脱炭素の目標を設定しない企業は思わぬコストを背負い、事業を失う」と明言している。また企業の対応が鈍ければ、株主総会で取締役選任での反対投票に直面する。

　米国指数算出会社ＭＳＣＩの発表によると、２０００社の排出量を基に、１８年までの４年間の企業を調べたところ、排出量半分以下の上位３０社の時価総額は、１７年比１５％増し、排出量が２倍以上になった上位３０社の総額は１２％減であった。

　また、石油業界でも、排出量と吸収量合計でゼロにする「ネットゼロ」を打ち出している。同４年間で業界平均の排出量は９％減であったのに対し、出遅れたエクソンモービルの１％が目立つ。再生エネルギー企業の株価は急騰、米ネクステラエナジーの時価総額は、王者エクソンを抜いた。

世界の主要企業の排出量は１８年までの４年間で、４％減であったが、日本は１％強に留まった。世界では、炭素税や排出量取引等の政策面での後押しがあるが、日本は地球温暖化対策税も低く、企業のインセンティブに繋がっていない。ＥＵでは、温暖化対策が不十分な国で作られた製品に関税をかける「国境炭素税」をも実施しようとしており、日本の競争力低下に繋がりかねない。

　２０２０年に入り、カリフォルニア州はガソリン車禁止予定の発表に踏み切った。２０３５年までに車販売をゼロエミッションのみとする。ＥＵは２１年に大幅なＣＯ２排出削減の新規制を導入し、英国は３５年に化石燃料車の販売を禁止、仏も同様の規制を設ける方針である。この様な禁止令は消費者に買い控えや新技術への乗り換え等大きな行動変化を起こさせる。日本メーカーも輸出マーケットのこの様な変化に対応を余儀なくさせられる。

【課題と私見】

　環境〜要望〜趨勢〜制度新設・規制・ルール変更〜新技術〜新マーケットの循環が形成されるようだ。すなわち、趨勢を見計らって禁止宣言や炭素税等の新規制を採用し、政治家はサポートを表明し、事業者はそれに対応する構図となる。変化への対応に後れをとる企業は消滅

する。ダーウィンが唱えたと言われる、「生き残るのは、最も強いものではなく、最も知識の優れたものでもなく、最も変化に対応したものである」が、最も当てはまる時代ではないだろうか。

　企業だけの問題ではなく、日本国がスピード感を持って変化に対応しなければ生き残れないと自覚する事が重要だ。しかるに、気象変動を起こす技術の禁止やＣＯ２等社会的負荷削減へのインセンティブ、炭素税適用等に力不足で、ＥＵに見劣りしている。日本のイニシャティブがないのはなぜかを究明する事から始めねばならない。

　人や国の意識が変われば政策や技術開発も変わる。なぜなら、予算が付くからだ。米国大統領が交代したのは、人の意識が変わったからである。2016年の新大統領は多くの国際協定から脱退して、自国の選挙民のほんの一部に応えたが、世界的な大きなロスを犠牲にした。

　国際機関や日本を含む各国が掲げる目標へのコミットメントは歓迎される内容だが、種々の過去の実例が示す通り、実現されるケースの方が少ない。それでも一歩づつの進歩と理解されながら、時間が経過する。日本の、「５０年にカーボンニュートラルにする」とのコミットメントも掛け声だけに終わることのなきよう、国も人も企業も行動せよ、である。

第 11 章　技術問題

　環境問題は技術進化による解決に負うところが多い。排ガス、汚染、災害等に対する防衛手段、事前に被害を食い止める手段、廃棄物処理、代替物開発等すべての分野で技術進化なくして解決や目標達成はない。元来、技術は日本のお家芸であったが、昨今の状況は極めて悪い。いきなり日本の技術の後れを挙げることになるが、今後の全ての対応に技術が絡まる事から特記する事とした。

① １０項目の特許出願件数を、２０００年と２０１７年時点で比較すると分かりやすい。

	（２０００年）1位	2位	（２０１７年）1位	2位
ＡＩ	日	米	中	米
量子コンピューター	日	英	米	中
再生医療	米	日	中	米
自動運転	日	米	中	米
ブロックチェーン	米	日	中	米
サイバーセキュリティー	米	独	中	米
仮想現実（ＶＲ）	米	日	中	米
リチュームイオン電池	日	米	中	日
ドローン	米	日	中	米
導電性高分子	日	米	中	日

②スイスの有力ビジネススクールＩＭＤは２０２０年度版の世界デジタル競争力ランキングを発表。６３カ国地域中、日本は２７位となり、前年より４つ順位を下げた。上位８位までは、米・シンガポール・デンマーク・スウェーデン・香港・スイス・オランダ・韓国であり、１１位台湾、１６位中国である。政府や企業がどれだけ変革に向けてデジタル技術を活用したかを示すものだが、知識、技術、将来への備えの３項目で評価されている。日本は特に、ビッグデータの活用、機敏な対応で、最下位に沈んでおり、高度なスキルを持つ外国人の受け入れも少ないとコメントされている。

③２０年前の今世紀初頭、「５年で世界最先端のＩＴ国家を目指す」としたが、失敗に終わり、怠慢の２０年と評されている。

　デンマークでは国にとって、役所はデジタル空間上の存在とされ、５８０万人の全国民の８割がデジタルＩＤを保有し、給付金や税金通知がネット上の電子私書箱に届く。住所変更、入学、年金等全ての生活上の手続きがオンラインで完結、離婚もワンクリックと言われている。

　日本は、コロナ給付金が紙に頼らざるを得なかった事で露呈したアナログ国家の姿を、早く脱しなけ

れば、環境問題でも後れを取るばかりとなることは
明らかだ。

　大きく分けた要因は、デンマークが１９６８年に
始めた番号制度を使い、その基盤の上にデジタル行
政の枠組みを整えた事であり、韓国他先進的な国々
は同様の制度が施行された。マイナンバーカードの
普及率は、２０２０年１１月現在もわずか２割の日
本だが、政府の一元管理に対する国民の不信感が拭
えないことが壁になっている。

　この様なデジタル先進国の状況に対し、日本は今ま
で、デジタル化が最優先課題の一つになったことが
一度もない。官僚にとって、業務のデジタル化は政
策等に比べ優先度が低く、情報漏洩のリスクがある
一方、やらなくても問題にならないとの怠慢の２０
年を作ってしまった。政官業にデジタル化を実現さ
せる意志がなく、国内の競争相手なしの行政は、効
率化する動機がない。ＩＴ化が後れた官僚機構では
対処不能、ＩＴは票にならない等のコメントが紙上
に出され、政官の不作為を突かれる結果となってい
る。新政権が、第一に本件を取り上げ、デジタル庁
新設は遅ればせながらの第一歩である。

国家再構築を行って、環境問題に対処する必要がある

日本だが、ＩＣＴを含む技術の進化が前提となることは明らかで、上述の劣勢を挽回する本来の日本に期待したいところだ。

　２０２０年夏、日本は世界一の機能を持つスーパーコンピューター「富岳」が世界的認定を得た。またＮＴＴの海外展開「２０３０年までの実用化目標ＩＯＷＮ構想」が発表され、光技術活用で、０.３秒で２時間の映画を１万本ダウンロードできるデータ伝送量を持つ機種を開発するとの事、大量データを少ない電力で処理する情報基盤を完全自動運転にも採用し、あらゆる通信網で使用される技術とすれば膨大な節電が成し遂げられるとのコメントが発表された。

　さらには、２０年１２月６日「はやぶさ２号」が５２億キロの旅を終えて地球に帰還するという快挙があった。いずれも、勇気づけられる日本の技術の成果であり、本来の日本の力と思う。

　非効率な石炭火力発電を段階的に減らす政策が確定し、電力大手は戦々恐々である。何しろ、いまだ３割を石炭に頼り、その内の２割超が非効率石炭であるからだ。低コストの石炭火力は再生エネルギーに比し、発電量が安定している強みがある。しかし、ＣＯ２排出量が太陽光の排出ゼロに真っ向から対立するので安定性と排

出削減のバランスを徐々に変えてゆくことになる。同時に石炭火力の効率向上も行われるが、石炭火力１４０基の内、非効率設備による発電量が半数を占める現実を認識する必要がある。

　省エネ法の指標は発電効率４１％超を高効率、４０％以下を非効率としており、同法の運用では、石炭の一部にバイオマスなどの燃料を入れることで、石灰投入量を差し引くことが出来る。１０％ほどのバイオマスを混入させるだけで発電効率を上げることが出来、高効率石炭火力への転換が可能となる。

　廃熱利用も加え、旧式施設の効率化が可能という石炭効率化の例である。化石燃料廃止が難しい日本の苦肉の策である。

　三井物産は、中国での製鉄所排ガスからエタノールを作る事業を興す。８００億円を投じ、１０工場で実施、中国での排ガス削減に役立つとともに、燃料需要に応える仕組みである。自動車燃料向けに販売すると同時に、ＥＳＧ投資評価向上に繋げる戦略的事業と言える。

　エタノールはトウモロコシやサトウキビから生産し、ガソリンに混ぜて使うが、食料が原料のため、生産量が限定的で、燃料向けは逼迫している。技術は同社出資先の米燃料開発会社のもので、ウサギの糞から発見された

微生物を放ち、排ガスの成分を微生物が食べて増殖する過程で、エタノールが生成され、専用タンクに貯蔵される技術であり、極めてユニークである。

　中国での新プラントは、現状の排ガス熱から発電に再利用する場合に比べて、ＣＯ２を２０万トン削減できると言う。この方式は製油所等にも適用される。エタノール生産に乗り出す背景には、ＣＯ２排出量の少ない、エタノール１０％混入のガソリンを政府が奨励していることがある。

　米国では、トウモロコシ由来のエタノール混合ガソリンが盛んだ。世界のエタノール消費量１億トンの内、中国は７％に留まり、伸びしろがある。製鉄や製油所のような、ＣＯ２巨大排出産業を持つ国という、最適のマーケットでの新事業の観点で注目される。航空用ジェット燃料にもエタノールが使用され、ＡＮＡが試験飛行を成功させており、多方面での活用が考えられる。

　石炭を使わない製鉄という技術の実用化の本格化である。欧州のアルセロール・ミタルは天然ガスや水素を使う技術に５兆円を投じ、独ティッセングループも参加する。ＣＯ２排出の最大業種での実用化だけに、世界に広がると効果は大きい。

　ミタル新設の設備は、従来の高炉生産に替わり、天然

ガスを使って鉄鉱石（酸化鉄）を還元するＤＲＩ（直接還元鉄）である。高炉はコークス（石炭由来）で還元するので大量のＣＯ２を排出するが、それに比し、４割削減できる。同社は５０年までに、ＤＲＩ設備などに、毎年１７００億円の低炭素投資を計画、１９年では、すでに３８００億円の投資を実行済みである。

　ＤＲＩと並び実用化を急ぐのが、水素を使う製鉄法、石炭の代わりに水素で鉄鉱石還元を行う、実質ゼロエミッションの製法である。ミタルハンブルグに実証プラントを２１年から稼働させる。スウェーデンのＳＳＡＢも、２０２０年５月に実証プラント稼働を開始、今後２０年で化石燃料を使わない製鉄基盤を作ると表明している。欧州全体が、５０年に排出ゼロとするコミットしたことに合わせ、企業が着々とフォローしているように見える。

　日本は高効率の高炉生産を主軸に発展を遂げた経緯があり、ＤＲＩは定着しなかったが、スクラップを原料とする電気炉を柱に据える動きとなっている。電炉は、排出量が高炉の半分であり、初期投資が高炉１兆円の２０分の１で済む。電気代が嵩むが、それも今後低減させる発電法が開発されるであろう。日鉄は電気炉の増大で対処、ＪＦＥは３０年度の排出量を１３年度比２割削減、圧延設備のエネルギー効率や触媒使用で、達成を見込ん

でいる。

　EUでは、生産効率の悪い国の安価な製品が、効率の良い環境規制の厳しい国に輸出されると、結果的にCO2排出を増やすことになるので、炭素税の導入を実施する方針であることは前に述べた。中国を念頭に、保護主義的な行動をとることになる。

　その中国も、高炉から電炉へのシフトを進めている。その生産量は現在の１割が２割になる程度と思われ、石炭使用を急激に減らす難しさがあるようだ。中国は世界一の鉄鋼生産国であるが、現在世界一のミタルを抜いて、宝武鋼鉄集団が世界一となる。大量生産、石炭使用削減、輸出減、不況の中でのバランスは難しい選択を迫られる。

　高効率で大量生産型の高炉から、効率劣化を覚悟の上で、高コスト・少量生産型にシフトしてでも、CO2排出削減を成し遂げようとする経営転換であり、成長第一からの変貌は企業の大決断である。これが生き残りの条件であるとの判断であり、変化への対応でもある。

　中国は、一部石炭使用を存続させねばならない事情があるが、段階的シフトとなろう。従って、日本の５０年度、中国の６０年度の排出ゼロのコミットメントは未達の可能性を否定できない。世界が監視を強めて、達成を後押しするシステム構築を期待したい。

排ガス削減の企業努力を述べてきたが、化石燃料に替わる非化石燃料面での開発が脚光を浴びつつある。技術進化は当然だが、破壊的変貌でもあり、大いに注目しなければならない。「太陽光を輸入しよう」（日経編集委員　松尾博文氏の記事）が楽しい。２０１４年のエネルギー政策で、原発２０〜２２％、再生エネルギー２２〜２４％の目標を謳い、６年後の今も維持されている。世界は再生エネ普及に躍起になっており、脱炭素が速度を上げている中で、日本の不作為が指摘されている。すなわち、この６年間でエネルギー構造の変更がないことに批判が集まっている。今までの日本は、化石燃料のほぼ全てを輸入に頼り、その途絶におびえてきたが、その呪縛から解放される日が待たれる。

　日本は５０年に、ガス発生ゼロのカーボンニュートラルを２０２０年の新政権が宣言、１８年度の排出量１２億トンをゼロにしなければならない。結果として、現在の発電所設備は使えず、製鉄やセメント工場等の化石多消費工場の存続が困難になるが、出来ませんとは言えない。エネルギー供給構造の大変革以外に方策はない。再生エネを拡大する努力は当然だが、エネルギー大消費工場を賄う規模にするには気の遠くなる時間がかかりそうだ。

解決策として浮上したのが、再生エネで太陽光や風力を輸入するアイディアである。石炭火力依存は、非アジアで２割であるのに対し、アジアは６割、さらに今後の電力需要は、非アジアではさほど伸びないのに対し、アジアでは大型発電所１００万キロワット級が数多く必要である。アジアはエネルギー転換に掛かる負担が大きいのである。この様な大需要地域アジアを対象に、実施に入る構想である。

　オーストラリアの大地や中東の砂漠で降り注ぐ豊かな太陽光の発電単価は、１キロワット時当たり３円を切るところまで来ている。日本でのコストの４分の１である。アラブ首長国連邦（ＵＡＥ）では、太陽光パネル３００万枚を敷き詰める、東京ドーム１６６個分の土地での安価な発電である。

　再生エネ発電を使って、水を電気分解し、発生した水素を日本に運び、発電や燃料電池車向けに使用する新計画である。水素輸送は、一般ＬＮＧの中東からの輸送で世界をリードしてきた日本のお得意のサプライチェーンによって、アジアの主要需要国対象に行うもので、日本がリーダー格の地位にある。

　千代田化工建設と豪クイーンズランド工科大学は、太陽光で造った水素とメチルクロヘキサン（ＭＣＨ）とい

う別の化学物質に変換して、日本に運び、再び水素を取り出す技術実証を終えている。水素を運ぶ手段は，液化して専用船で運ぶ方法、アンモニアに加工して運ぶ方法等複数の手法が進められている。

　原油や石炭に伴って排出するCO_2と再生エネ由来の水素を合成し、天然ガスの主成分であるメタンを造れば、CO_2フリーの液化天然ガスＬＮＧとして、既存のインフラを活用できる。水素使用の技術と育んだ輸送手段、すなわち、プラント建設、専用船建設、サプライチェーン、港湾設備建設全ての面で、日本の技術と資金でアジアのエネルギー需給体制を構築する役割を日本は担っている。

　水素社会構築は環境対策の優先課題に位置付けられる。技術、システム、全体構想等の観点から、日本が世界をリードする分野であり、総合取り組みが欠かせない。国際環境経済研究所主席研究員　塩沢文朗氏と九州大学主幹教授　佐々木一成氏の「経済教室」（日経２０１８年４月）より、水素社会に向けた技術とシステムの課題を纏めた。

　前提にしなければならない日本の立ち位置がある。日本の地理的環境（日射量、日射強度、風況等）から、国内の再生エネ資源が質的、量的に恵まれていないし、コ

スト的にも競争力に欠けている点である。日本の太陽光発電のコストは世界平均の２倍、風力発電コストは３倍、中東地域の太陽光発電の６倍である。

　アジアの大需要を対象に取り組む事、コストを賄う要素から、必然的に大規模プロジェクトとなる事が前提である。大量導入は、安価な再生エネが無尽蔵である事、安定政権の供給地から需要地へ輸送可能な形にしたエネルギーを移動させるものである事を重要要素としている。

　電気、太陽光、風力を運ぶことは出来ない。輸送、貯蔵に優れたエネルギー形態は化学エネルギーである。中でも水素は地球上に豊富に存在する水から造ることが出来る。再生エネから造られた水素をエネルギーとする事で環境制約を克服するのが水素社会である。

　日本では水素エネの活用は燃料電池の導入で進められ、家庭用燃料電池コージェネレーションシステム（エネファーム）は１４年末までに、１１.３万台まで普及した。３０年に５３０万台の普及を目標とし、燃料電池車（ＦＣＶ）も３０年２００万台の普及を見込んでいる。

　しかし、エネファームもＦＣＶもエネルギー消費量とＣＯ２排出量がそれぞれ全体の０.７％に過ぎない。従って、エネファームもＦＣＶも水素エネ利用と供給チェーンの端緒を開くものと理解すべきである。

化石燃料の大消費は、発電「４０％」と製造業「３２％」であり、この分野への大量導入が進んでこそ初めて水素社会と呼ぶことが出来る。その条件は、水素プラント引き渡し価格が、１立方メートル当たり（摂氏０度、１気圧）３０円程度まで低下し、供給チェーンが形成されることだと言われている。もちろん、化石燃料価格の動向に影響されるが、経済的、技術的条件が整うのは３０年頃と推測される。

　水素社会へのシナリオは、

①エネファームとＦＣＶの需要増に応じて進展し、

②３０年頃発電分野への導入が調うと、水素需要が一挙に２００〜３００億立米（年間）となり、

③家庭、ＦＣＶ、製造業各分野でＣＯ２フリーへのエネルギー転換が完成に向かう。

　並行して、輸送と利用面での技術進化が欠かせない。エネルギーキャリアと呼ばれる開発が必要で、体積当たりエネルギー密度が小さく、大量輸送や貯蔵に適さない水素を他の物資に変換したり圧縮したりする事で、輸送・貯蔵を容易にすることを意味する。また利用技術では、発電タービンや大型燃料電池等の新たな技術開発を伴う。

　燃料電池は、水素を含む燃料から電気を取り出す技

術、水の電気分解の逆の反応により燃料を燃やすことなく電気を取り出す技術である。その水素は地球上で最も多く存在する元素で、色々な方法で造り出せる。製油所、精錬所、ソーダ電解事業の副産物の水素ガスの活用や、都市ガスの既存ネットワークを活用して炭化水素燃料から水素ガスを取り出す等である。高効率で電気を取り出すメリットは、実に大きい。

　今後の重要な課題として考えられる２点を挙げておく。

①利用エネルギーのインフラ整備であり、ガソリンスタンドと同時に水素ステーションの設置、再生エネから発生する余剰電力で水素を製造・貯蔵、下水処理や食料系等の廃棄物処理から発生するバイオガスからの水素製造、水素販売システムの構築等があり、全て調うまでには相当の期間を要する。

②電力ガス自由化の流れの中で、燃料電池は高効率の次世代型発電システムである。資源的に余力の大きい石炭をガスに変え、燃料電池で高効率発電とする事が一例として挙げられる。高効率達成の公的な導入補助金制度を設け、技術開発、老朽火力の改良・廃止、燃料費の大幅削減とＣＯ２排出減、燃料輸入の削減という循環で、技術に掛かるコストを費用削減で賄ってゆく仕組みも必要である。化石燃料の少しの節減

が何兆円にも相当する事を明確にするのも、社会にインセンティブを与える。

　家庭用燃料電池、エネファームが普及するのが楽しみである。太陽光発電からの電気で水素を貯蔵し、利用する自立型エネルギー供給システムは２０１５年に川崎市で実証実験に入っており、将来の本格的水素社会へのテストも進化していると思われる。水素の形で移動し、必要に応じて電気に変える社会だ。

　世界の水素関連事業は、１５年時点で７兆円、３０年には４０兆円、５０年には１２０兆円と試算されている。課題を挙げると、水素の製造、貯蔵、輸送、発電の各段階で、エネルギー効率を上げる技術開発を維持する事、関連インフラのコストを下げる事、規制の緩和を実施する事の３点である。

　規制について例を挙げると、２０１５年当時の東芝の自立型水素エネルギー供給システムでは、水素ガスを８気圧という低いレベルで貯蔵している。１０気圧以上だと法令で管理者の常駐が義務付けられているからである。もし、トヨタ燃料電池車の水素タンクのように、７００気圧まで圧縮出来れば、同じタンクに１００倍の水素を貯蔵する事が出来る。

　当時の東芝田中社長は、「日本だけが水素社会を目指

すことは、ガラパゴス化に繋がるとの見方がある」との見解に対しきっぱり、「違う、ドイツを始め、ＥＵや米カリフォルニア等で水素の重要性が認識されつつあり、多くの国と地域で広がりを見せており、日本の水素技術はトップを走っている」と言い切っている。今や、世界の潮流であり、しかも日本の得意分野となれば、トップランナーを続けて欲しい。

【課題と私見】

　環境問題での日本の役割を果たすのに不可欠なのは、技術進化である。その進化が極めて悪い。他の先進国、中韓はおろか、東南アジア諸国にも後れを取る有様だ。かつての技術立国が、なぜこのように諸国の後塵を拝する結果になっているのか。今世紀に入って、２０年間の失敗とか、怠慢と言われ、政官の不作為が挙げられた。

　ＧＤＰの鍵の一つが、デジタル投資だが、ＯＥＣＤ発表の今世紀初頭の１７年間のＩＣＴ投資額は、日本２０％減に対し、米国６０％増、仏２倍であり、オンライン講座等技術向上への取り組みでは、成人比率が、日本３６．６％に対し、ＯＥＣＤ平均が４２％、労働生産性では、日本が２１位であるのに対し、米国３位、仏８位、独１３位と下位低迷に終わっている。

　これでは、排ガス・汚染・廃棄物処理や再生エネ分野

の新規開発への貢献どころではない。一条の光が見えてきたのが、スーパーコンピューター富岳、ＮＴＴの光技術によるデータ伝送、水素関連の将来の技術進化、「はやぶさ２号」地球帰還等であり、全方位技術開発のプログラムのような挽回策を講じれば、決してトップランナーを諦める必要はないと信じる。

　従来の政官の無関心改善、資金裏づけのある総合対策、国・地方の改革による経費削減等の全体企画の実施以外に方策はないと考える。

　環境問題に要求される主要な技術分野を挙げておく。

＊ＣＯ２排出削除

＊非化石燃料の新開発

＊既存化石燃料の高効率化

＊燃料利用機器の高効率化

＊自然災害と人工的災害からの防衛（災害予知、二次災害防止等）

＊災害最小化の為の建造物強靭化（新素材開発等）

＊既存建造物老朽個所発見と修復（ドローン・センサー等）

＊一般廃棄物並びに産業廃棄物処理

＊放射能廃棄物処理

＊総廃棄物の処理場建設

環境問題だけを捉えても、これだけの分野があり、そ
れぞれの技術進化を同時並行的に検討し、併せて原資調
達の目処をつけておかねば、実質効果は期待できない。
世界各国も、同様の悩みの筈で、多くのコミットメント
発表を実現させるのは至難の業である事が理解できる。
正に、持続可能な世界的枠組みが、環境問題解決のため
の技術開発には絶対条件であり、日本の役割がここに存
在する。

第 12 章　個別企業・研究所等環境問題取り組み例

　難題だらけの環境問題だが、世界的枠組みも徐々に固まりを見せ、それに呼応して、世界の企業等が独自の取り組み内容をヴィジョンに格上げして、公表するに至っている。もはや、ＳＤＧｓに向けたＥＳＧを企業価値から切り離せない状況である。

　ヴィジョンや姿勢は企業等により異なるが、実際にどのような内容を取り組みにしているか、の実態例を取り上げ、世の変遷の対応への努力を紹介する。全てが、切磋琢磨して、環境問題に対峙する姿であり、感動を与える内容である。発想であれ、技術であれ、変遷に対応するには、手間・時間・コストがかかることであり、多くの関係者が種々の難題に挑戦している現実を認識する事が重要である。

（1）みずほフィナンシャル　グループ

　環境問題の世界的趨勢に、企業はいかに同調しようとしているのか、その代表例として、大手金融グループの対応を紹介する。

　「サステナビリティ重点項目」を特定し、推進している。重点目標の中の、従来からある少子高齢化、経済発

展とイノベーション、人材育成等に、環境関連目標が相当の重要度で加えられている。すなわち、環境を理念の軸として、組織新設、対象企業向けファイナンスの重点化、新たな営業活動、自社商品開発等の分野で新たな対応が為されている。

　「組織新設」では、ＥＳＧ取り組みとして、当グループの運用機能を担う「アセットマネジメントＯＮＥ」が、２０１６年１０月に発足し、責任投資部が同時に新設されて、ＥＳＧに関する議論を投資先企業と行うとともに、エンゲージメントや議決権行使の取り組みを進めている。投資先企業への環境に関する発言権の強化であり、環境問題に対する影響力行使である。

　エンゲージメント活動のテーマは、気候変動の経営への直接間接の影響等であるが、投資先企業が、より環境配慮に踏み込むよう議決権行使を実行する事も注目の的である。また、ＥＳＧ投資強化のため、２０２０年４月に、サステナビリティ・インベストメント・チームを立ち上げた。

　「ファイナンス重点化」では、環境・社会に配慮した投融資の積極化であり、環境ファイナンスを１９年〜３０年の間で、累計１２兆円とする一方、石炭火力発電所向け与信残高を、同期間で５０％減と半減させ、５０年度をゼロとするコミットメントを発表している。

「新たな営業活動」では、業種別に環境課題解決に向け、エンゲージメントの積極化に入っている。いずれもアナリストによる課題認識を確認し、経営者との協議を行い、当該企業からの回答を得るというプロセスを実施している。

　小売大手のケースでは、サプライチェーン全体の廃棄物管理をアナリストが進言し、経営者とは、脱プラスティック、廃棄物減等の持続可能な事業基盤の確立を確認し、企業の対策具体案を回答させるといったきめ細かい対処に入っている。

　「自社商品開発」では、上述の企業向け営業活動とは別に、自社のＥＳＧに着目した商品開発に拍車をかけている。「アセットマネジメントＯＮＥ」が中長期的財務情報の基盤となるＥＳＧを強く認識し、ＥＳＧと運用戦略の融合を図っている。

　１７年８月に「ＥＳＧ国内債券ファンド」を設立し、リサーチ力・ＥＳＧ投資ノウハウ・議決権行使データ（年間２０００社）を武器とした同ファンドと、みずほ第一フィナンシャルテクノロジーによるＥＳＧデータ分析モデルを融合させ、リスク低減と安定リターンを狙う商品開発を行った。

　第４章で述べたように、「脱炭素社会への取り組み」が金融からのサポートを得て進められるのは、テーマの

重要性を象徴するもので、同章の「金融が担う脱炭素社会へのトランジション」に述べられている動きが、現実になっているのである。

世界の動きに、ヴィジョン、組織、取引先企業へのアプローチ、営業活動、自社商品開発等の企業対応が見られる代表例としての紹介である。

（2）個別企業の代替エネ開発事業例

再生可能エネルギーの代表格である水素の製造開発実現に至るには、幾多の難関を乗り越えねばならない。実際にどのような難関があるのか、一般には把握し難い情報であるが、環境問題を認識する上で、ぜひ知っておきたい事の一つである。

今回の事例は、アルゼンチン最南端の南極に近い場所での、想像を絶する風力の調査に関する内容である。水素社会と簡単にいうが、この様な長期取り組み（２００３年から続けられている）の現実を知ることも、環境問題を理解する要素の一つと考え、掲載する事とした。

寄稿者：横山稔氏　（株）グレートスピリッツ社長
　　　　日商岩井（現双日）スペイン会社社長、アルゼンチン会社社長を歴任後退任
　　　　２００３年　グレートスピリッツ社を設立、ア

ルゼンチン産景観舗装用石材輸入開始

２００５年　水素エネルギー協会（ＨＥＳＳ）のパタゴニア風力調査に参加

以降、現在まで、アルゼンチンに加えイタリア石材輸入をも手掛ける一方、アルゼンチン日本大使館と日本政府に協力し、両国国家プロジェクト推進に携わる

寄稿文：「日亜国家プロジェクト　パタゴニア風力水
　　　　素事業」

「パタゴニアが地球を救う」というプロジェクトの長期取り組みである。

①風力調査の経緯

日本の水素エネルギー協会ＨＥＳＳ（Hydrogen Energy System Society）は１９７３年創立、世界最古の水素エネルギー協会である。

２００４年、当時のＨＥＳＳ会長、横浜国立大学教授、太田健一郎博士が主催して、「世界水素会議」が横浜で開催され、それに参加したアルゼンチン水素協会会長、Dr. Juan Carlos Bolcich がパタゴニアの風を太田博士に紹介したのが、そもそもの始まりである。

翌２００５年、水素は化石燃料でなく再生可能エネルギーで作らねばならないという信念をお持ちだった太田

健一郎博士（当時ＨＥＳＳ会長）の音頭で、水素・風車の日本最高の権威者６人からなる第１回パタゴニア風力調査団が結成、派遣された。

その後、現在までほとんど毎年、パタゴニア風力調査団が派遣されている。２０２０年も第１３回調査員をＣＯＶＩＤ－１９発生寸前に派遣できた。

費用はＨＥＳＳにスタートから現在まで、またＮＥＤＯ（New Energy and Industrial Technology Development Organization）新エネルギー産業技術総合開発機構にも、横浜国立大学、太田健一郎博士の風力調査研究を通じて負担いただいた。すなわち、これは国家プロジェクトである。

②超音波風速計

今回のパタゴニア風力調査で特筆すべきことは、風力測定を従来のカップ型風速計に加えて、（株）ソニック製の超音波風速計（USA-Ultra Sonic Anemometer）を使っていることである。カップ型では水平方向の風力しか測れないが、ＵＳＡでは横・縦・斜め、あらゆる方向の風力を、しかも５秒単位で２４時間、３６５日の風速を測定する。これだけ精密、正確な測定をしているところは世界でここしかない。

③パタゴニア風力水素のコストと能力

　これまでの調査によりパタゴニア風力水素コストは
日本着、３０円／㎥＝３３０円／kgである。トヨタ、
ホンダのＨＶ（水素自動車）用水素スタンドでは、１，
１００円／kgで販売されている。パタゴニア風力水素は
化石燃料と充分競争できることがわかる。

　また風力発電能力はチュブット州、サンタクルス州の
２州だけで、日本の総電力消費量１０億MWhの約１１
倍あると積算されている。両方とも詳細なレポートがあ
り、それらはＨＥＳＳ、ＮＥＤＯで保管されている。

　パタゴニア風力水素の利点は、強大な風力エネルギー
に加えて、大西洋岸からアンデス山脈までの広大で平坦
な地域に、乾燥砂漠地帯のため人家が少なく、どこにで
も風車を建設できることである。その他、一定の風向き、
少ない昼夜の風力差等挙げればきりがない。

　ちなみに、風力エネルギーは風速の３乗で示される
が、日本の年間平均風速３ｍ／ｓ、パタゴニアのそれが
１０ｍ／ｓとみて、風力エネルギーを比較すると、
　日本　　　　　３×３×３＝２７
　パタゴニア　　１０×１０×１０＝１，０００
　パタゴニアには、単位面積当たり、日本の３７倍の風
力エネルギーがあることがわかる。

④パタゴニアにコンスタントに強い風が吹く理由

　Ⓐ南極に近くいわゆる偏西風がある。

　Ⓑ西の太平洋に寒流、東の大西洋に暖流があり、大西洋上の空気が上昇したところに、太平洋からの寒風がアンデス山脈を越えて吹き降ろす。

　Ⓒ乾燥した陸地は、昼間太陽熱で空気が上昇し、そこにアンデス山脈からの風が吹き降ろす。

　以上の３つが重なり合って、方向が一定なコンスタントな風が吹くのである。

⑤困っていること：日本に風車産業がないこと

　パタゴニア風力水素プロジェクトの次の課題は、風力調査によって得られたデータを使って年平均風速１２〜１５ｍ／ｓに耐える風車を設計・製造することである。ところが、日本に数社あった風車メーカーは全て風車産業から撤退している。現在、日本の風車市場は、欧州（ＥＮＥＲＣＯＮ、ＶＥＳＴＡＳなど）、米国（ＧＥなど）の風車メーカーに支配されている。

　日本には、台風、雷があり、風車がいったん壊れるとメーカー内部で責任を問われて人がいなくなり、補償で赤字になって、事業部制の下で風車部門は存在できなくなるといった理由のようである。

　ここは、国家が援助してでも風車産業を育てて欲し

い。現在、石炭火力発電に傾注している人材を、風力発電産業にシフトするといった大転換に期待したい。

⑥アルゼンチンの水素社会実現への強い意欲

　東京の地下鉄銀座線を建設する際、日本はアルゼンチン、ブエノスアイレスに調査団を派遣した。当時地下鉄は、世界中で、ロンドンとブエノスアイレスにしかなかった。現在走っている銀座線はアルゼンチンから学んで建設されたものである。

　アルゼンチンは新しいものを取り入れるのが早い。パタゴニアの風力水素を２,０００ｋｍ離れたブエノスアイレス地区に運んで、火力発電所用天然ガスに混ぜて使用する事業及びＬＮＧ車（ブエノスアイレスのタクシーはすべてＬＮＧ車である）に混ぜて使う事業が進行中で、日本に資金・技術の要請が為されている。

　アルゼンチンでは、最近大きな水力発電所２基を中国が受注、建設中だが、水素プロジェクトも日本が乗り出さないと、中国に発注されてしまうだろう。中国には立派な風車産業が存在する。

（３）研究所・専門家等の発表例

　ＳＤＧｓ等に向けた環境問題取り組みが企業等で実施されるのと並行して、多くのテーマに対する見解や提言

発表が為されている。そのいずれもが、創造的な新技術や思考に富んだ内容でありながら、あまり広く知られていないので、本書でも紹介する。

　ウェブメディアＥＭＩＲＡ（角川・東電・読売広告社による編集）が記載する内容で、友人より提供されたＥＭＩＲＡの発表内容は１００ページ超に上り、抜粋、編集を行った。

①「水素が日本を資源国にする」
首都大学東京　川上浩良教授

　水素が新しい時代のエネルギーマテリアルであるとし、国家戦略に組み込み、エネルギー源とするメリットを挙げて、次世代を支える燃料電池に繋ぐ位置づけの発表を行った。

　新しいエネルギーマテリアルがエネルギーのイノベーションを起こすという事であり、それは有効に電力を得るシステム開発を意味する。電力工学とのコラボで成し遂げる、新たなアップローチである。

　国家戦略とする事は、安全性を前提として、安定供給（高自給率）、経済効率性（電力コスト）、環境適合性（温室効果ガス排出量）の３点を満足させるエネルギーとする事である。

　１７年の排ガスが１３億トン、電源の８割が化石燃料

の日本を、５０年にカーボンニュートラルにするキーエネルギーが水素である。メリットは、水素を作る方法が多様であり、石炭や天然ガスから作る、企業製造の過程で副産物として発生する水素を集める、水を電気分解して得る等の身近なエネルギー源である事である。またタンカーで運びやすくするため、液体のトルエンの中に水素を高密度で閉じ込めて、メチルシクロヘキサンなる化合物にすることが出来る利点も備えている。

　さらには、現状の蓄電池が、放電するのに対し、水素は液化による保管が出来、目減りなく数年間維持でき、高密度であることから、保管場所を大きくとることがない。使用する側としても、水素燃料電池は、極めて幅広く、自動車以外に、フォークリフト等の倉庫内作業重機、列車なら架線なし、また密度の高さから、直接燃焼の推進剤としてのロケット用は有名だ。課題は通常の電気を使わないで水素を作ることであり、砂漠の太陽光や風力発電を電源とするのに、しばらく時間がかかりそうだ。

　排出ガスの削減技術や代替エネルギー開発で、クリーンエネルギーを目指すことに主眼が置かれているが、排出ガス削減が経済発展による排出増を超えず、最終的に全体削減が見通せるまでに至っていない。したがい、排出されてしまったガスの始末が出来れば、抜群の効果が

期待できる。ＣＯ２の回収、貯留である。ＣＤＳ（Carbon Dioxide and Storage）は地中深く埋める手法である。世界はまだまだ、負の資源を抱えて生きねばならず、「地中埋め込み」は３０％程度の削減効果と言うので、効果が大きい。

地中に埋め込まれたＣＯ２は、いつか大きな資源になるかもしれない。現在でも、飲料炭酸ガスや植物育成に利用されているが、バイオ燃料やコンクリート材料にも利用できると目されており、加えてメタノールの原料として利用でき、数十年、数百年後に資源国となる方法とも言われだした。

②「食とエネルギーを繋ぐ構想」

早稲田大学パワーエネルギープロフェッショナル（ＰＥＰ）育成プログラム　林泰弘教授

食にまつわる工程は、エネルギーに存在を欠かせない。農機、運搬車、冷凍、調理器具、生産・販売管理用コンピューター等挙げればきりがない。食とエネルギーは生活に欠かせない二大素材であり、再生エネルギーを駆使した高度な電化社会化が食にも影響を与える。そして、食の生産から販売までの過程にエコが生まれる。例えば、都会の地価が高い場所で、オール電化のキッチンカーに蓄電し、電気で移動も調理もすれば、店舗を構え

るコストは不要、不動産価格も下がり、低コスト化に貢献する蓄電池は排ガスフリーの電気を持ち運びでき、様々な食ビジネスに付加価値を与える。

　食物工場は天候に左右されず、無農薬生産であり、農業の担い手問題や食料自給率問題の解決策にもなる。空調栽培システムに於いては、エネルギーコストが高いという課題の解決策でもある。

　食生産現場から消費者食卓に至る一連のフードチェーンで、進化できるものは何か？　食品ロスと飢餓が同時に起こる「食の不均衡」を正すには何が必要か？　それは世界的重要課題であり、国際機関での解決策進展に期待するところだ。

③「災害へのリジリエンス（柔軟性・回復力）強化」
早稲田大学スマート社会技術融合研究機構　石井英雄教授

　再生エネ電力システムは、災害に強く、相性のいいＶＰＰ（Virtual Power Plant）の推進で災害に強い電力システムの世界普及を目指す。

　重要なことは、再生エネを分散型電源として配置する事。現在の電力ネットワーク（発電、変電、送電、配電）は災害時に手間取る。分散型電源は古くから存在し、非常用発電機が設置されている。しかし、災害対策として

普及していない。理由は、太陽光発電や蓄電池をセット
として設置する事が高コストである事だった。その平時
有効利用も、制度も未熟であった。

　蓄電池の高効率化と安価化が進み、普及期に入る。Ｅ
Ｖそのものが、災害時に走る非常電源となる。平時にも、
安定した電源となるシステムがＶＰＰである。仮想発電
所であるが、自家用発電機や蓄電池を、ＩＣＴ技術の下
に一つの発電所に見立て、電力需給を見ながら、一体的
に制御するものである。災害がやってきても、ブラック
アウトに至らない、災害に強いシステムという事だ。

④「ＣＯ２の電源化」
早稲田大学理工学術院　関根泰教授
　環境問題では、ＣＯ２を悪者として扱ってきた。ルテ
ニュウムという金属とセリュウム酸化物を触媒として、
常温から１００度と低い温度で、ＣＯ２と水を反応さ
せ、効率よくメタンへ変換して、「資源化」する手法を
２０２０年１月に発表した。メタンは都市ガス主成分と
して用いられており、ＣＯ２の資源化である。

　教授は、「ＣＯ２を善悪論で語るべきでない。玉ねぎ
は、捨てられるとゴミになるが、刻んで煮込めば、おい
しく食べられる。使い方の問題だ」としている。

　ＣＯ２を炭素資源として再利用する考えは、「カーボ

112

ンリサイクル」や「二酸化炭素回収・有効利用・貯留」として広まりつつある。従来の資源化手法は、「４００度の高温で、水素と触媒を用いて、ＣＯ２を還元する」であった。低い温度では反応がないからだ。半導体であるセリュウム酸化物に弱い直流電気を流すと、常温でも、セリュウム酸化物表面で、水素の陽イオン（プロトン）が動く。これがプルトニクスという現象。この状態でセリュウム酸化物に触媒を載せると、動いたプロトンと触媒表面に吸着した分子がぶつかり、反応を起こす。これが、今回発見の核である。

　一般には判りにくいが、要するに、従来は高熱を維持するために断熱が必要であり、一旦上げた温度を下げない処置を要したが、今回の発見は使いたいときに使いたいだけのＣＯ２を資源化する、小回りの利く手法である、という事である。したがい、ビル・オフィス・家庭・自動車といった小規模用途に親和性が高い。

　ＣＯ２の資源化に、「集める事」「水素を作る事」「燃料に変える事」という３つの柱がある。燃料に変えることは述べたが、前２つの「集める」と「水素を作る」は技術と資金の両面で課題が残る。アフリカや中東の砂漠での太陽光発電と水素生産は、紛争や内戦による貧富の差縮小と難民救済にも繋がり、雇用創出にも貢献する。日本の出番である。

⑤「ブルーカーボンで多角的に広げる養殖藻場ビジネス」

琉球大学工学部　仲泊明徒氏

　ブルーカーボンは２００９年に国連環境計画（ＵＮＥＰ）により、名付けられた、二酸化炭素吸収を意味する言葉である。

　カーボン吸収量を項目別に、２０１３年と２０３０年目標を見る。

	2013 年	2030 年
森林	5166 万トン	2080 万トン
農地土壌	757 万トン	713 万トン
都市緑地	110 万トン	124 万トン
ブルーカーボン	173 〜 679 万トン	204 〜 910 万トン

　今回の発想は、ブルーカーボンを軸に、養殖藻場を建設し、ウニ養殖、海藻肥料、海洋バイオマス燃料等へ拡大するプロジェクトである。ＳＤＧｓの一環として、ＣＯ２吸収、固定化し、環境対応とする一方、経済面の展開を行い、ビジネス創造と雇用創出を狙う。

⑥「学生コンテスト」

　２０２０年２月、日本橋で、メディアＥＭＩＲＡとＰ

ＥＰが主催した、学生コンテストが開催され、多くのアイディアが披露された。

Ⓐ「クリーンインフラと空き家利用」というタイトルの下、空き家に太陽光パネルを設置し、ＥＶの拠点とする発想で、送電網が発達していない地域の電力供給源にするとともに、雨水をろ過して貯水を行う設備を整え、コミュニティースペースとして活用する場所を提供するというユニークで面白い提唱。

Ⓑ　ＭａａＳ (Mobility as a Service)のアプリ活用であるが、バス・電車等公共交通機関の個別支払いではなく、目的地までの最適ルート、料金検索、決済、宿泊、観光との連携サービスの提供である。さらに拡大され、広告収入と利用者のビッグデータ販売までも視野に入れた機能の紹介であり、すでに実現の域に入っている。

Ⓒ紫外線、光触媒による、悪臭除去システムの発表。紫外線を当てた光触媒コーティングされたボールを用いて、殺菌、悪臭分解を行うシステムの紹介。

⑦「カーボンプライシング」
早稲田大学政治経済学術院　有村俊秀教授
　ＣＯ２に価格を付けて市場の中に入れる事で、排出量

を抑制する手法。

　世界ではすでに進行中である。市場同士で合意すれば、国境を越えて売買可能であり、中国が最大の取引市場になる可能性がある。

　日本では、事務所、ビル、工場等を対象に、CO_2排出削減目標が定められている。発電所や鉄鋼、化学工場では、削減が困難な事情があり、全てに制度化する事は難しい。

　元来、日本はモノづくりが神聖化されてきた国で、「ものでないモノに価格をつける」違和感が強い。またモノづくりの考えだけでは、温暖化は解決に向かわず、企業や家庭のモラルに頼るしかない面がある。価格を付けることにより、評価されることで、今まで意識がなかった人が、ようやく排出に真剣に取り組む、といった事が起こるのである。物と同じような価格がついていないモノに値付けする事が、社会にとって良いことだと理解することが必要である。

　排出量を減らすなら、電力エネを減らせばいい、しかし電力が使えなくなれば、経済活動は滞る。需要がなくなれば、再生エネのイノベーションは起きなくなる。生活レベルを維持しながら電力エネの使用量を減らすには限界がある。結果的に、削減目標は達成されない、といった連鎖が可能性として存在する。結局、経済を活性化さ

せながら、排出量を減らすのが社会全体を良くすること
であり、経済学の分野に入ってくる。

　第1段階は、化石燃料に課税して、使用料を抑制させ、
同時に代替エネルギーの普及を行う。これでは、経済活
性がないので、第2段階となる。税収を使って経済活性
を行う。例えば、税収分だけ法人税を下げる等である。
日本は平成24年以降、段階的に化石燃料税を引き上
げ、その税収を再生エネ導入と省エネ強化に活用した。
税収が弱いため、さらに強化する手段として、化石燃料
の炭素含有量に応じて課税する、炭素税を課すことも考
慮せねばならない。時間がかかる。

　税制ではなく、ビジネス観点で解決できないか？　あ
らかじめ決められたＣＯ２排出量の削減目標に対し、企
業努力で達成できた削減量が、「クレジット」として認
証され、これを売買する。目標を上回る削減を果たした
企業が、果たさなかった企業に、クレジットを売ること
が出来、未達企業はクレジットを買って、目標達成とす
ることが出来る。今後、このカーボンプライシングが、
排出削減にどのような効果を及ぼすか、世界的にどのよ
うに、このシステム活用が広がるか、注目の的となる。

⑧「災害に強い電力システム」

横浜国立大学大学院　大山力教授

　電力自由化による送配電分離、再生エネ利用、双方をどのように電力システムに組み入れ、安定供給に近づけるかが重要課題である。

　２０１８年の北海道胆振東部地震の発生時、苫東厚真発電所の３基のうち２基がすぐに停止、その後残りの１基も停止し、大規模停電、ブラックアウトとなった。最後の１基は一番古い設備だった。その後も、１１年の東日本の大震災による地域大停電があった。１９年の台風１５号による千葉県だけの大停電だが、原因は山の中の送配電線が多く通っていたからである。停電を避ける手段は、山中送電線強化なのか、山を抜けた先に発電所を建設する事なのか、停電時に電源車を多数用意する事なのか等の議論があった。

　これらの停電を回避する今後の対処法は、ＩＣＴの進歩が電力システムを変えるという考えの採用ではないだろうか。

　これまで、統計でしか見られなかった消費者の動きが、逐一わかるようになった。スマートメーターである。これを用いて、需給両面から電流を制御し、最適化するスマートグリットが解決策となっている。停電しない電

力システムに向け、新たな試みが実現に向かう。

　ＥＶは走る蓄電池。その性能を上げて、大規模停電に際し、各自治体がＥＶを現地に送り込んで、非常用電源とする。

　「ネガワット」は節電し、余った電力を発電したと同じとみなす考えで、電力消費のピーク時に節電を行えば、発電と同価値となる。節電した電力を測り、それに対するインセンティブを与えようとするもの。計測された電力は市場での売買対象となり、ネガワット取引となる。節電という目に見えない価値を測り、市場取引を実現させたのはスマートメーターである。停電時には、蓄電池や電源車で対処し、平時は節電や余剰電力の数値化の上、市場取引に回す新システムは、災害時の対応と安定した需給に向けた取り組みである。

　無駄を切り詰めながら、電気の信頼度を上げる難しさは想像を絶するが、安定化の一つは、送配電にある。電力会社が、現在の送配電インフラを解放し、電力自由化に協力する事が求められ、それによる再生エネ電力の活用が促進されることを国民は期待している。

　ネットワーク強化の一方法に、配電線の地中化があるが、一度事故が起きると復旧に倍の時間を要する欠点がある。

　自由化後は、分社化した送配電事業者が需給バランス

を保つ設備を保有し、新規参入電力事業者との調整という多難な仕事をこなし、安定電源構築を果たすことを願って止まない。

⑨「海中分解のプラスティック開発」（日本経済新聞）
大阪大学　麻生隆彬准教授
　日本食品加工と共同で、海の中で分解される新たなプラスティックの開発が発表された。植物からとれる、身近なでんぷんとセルロースの組み合わせである。従来の海洋生分解性プラスティックより安く、食品包装などに２５年ごろの実用化を目指す。トウモロコシやイモ類に含まれるでんぷんと植物の主成分のセルロースは世界中に豊富に存在し、材料確保に心配はない。さらに、セルロースナノファイバーを混ぜ、乾燥させるプロセスから、強度や耐水性に優れた透明シートは実証済みである。海水に１カ月浸すと、シートに穴が開き、細菌類による分解を確認している。

⑩「営農型太陽光」（日経ＸＴＥＣＫ）
千葉工科大学　久保裕史教授
　太陽光発電と食物工場のような水耕栽培を一体化したシステムを発表。農業のベンチャー企業、セブトアグリとエムエスイー両社共同研究のドイツ学会での発表であ

る。地面農作でなく、食物工場のような栽培システムである。

　太陽光パネルは太陽の位置に合わせ、駆動する一軸追尾型、パネルは南北方向に回転用単管に固定され、朝は東向き、昼は真上に、夕は西向きに傾き、発電量が最大化する。固定型パネルより、１１．４％多い発電結果を得ている。単位面積当たりの収穫量も最大化でき、栽培の手間も大きく軽減された。樹脂製のトレイに苗を収納するポットや水を流す溝が作られており、肥料も給水と同時に計算された分量が、苗に吸収される仕組みだ。苗の栽培に３週間、水耕栽培に苗を移植後２週間で、収穫となる。高価につく建物や空調は不要で、太陽光と電池で必要エネルギー全てを賄う。

【課題と私見】

　他に多くの世界的研究発表や技術開発の成果があると思われるが、今回取り上げた内容だけでも、生活様式を変え、効率化や安全、安定、安心、安価に向けた努力が感じられ、世界も同様の行動をとっていることを思うと、大いに勇気づけられるのである。

　冒頭に述べたように、難題だらけの情勢に、「可能性を現実にする試行錯誤の繰り返し」を忍耐強く続けることが、目標に到達する最短の道と思う次第である。

大企業は人材、組織、資金の面で優位性があり、環境問題への対応も早い。これに対し中小企業は、それぞれの事情で手付かずの状態が多いと思われる。「資金的余力がない」、「大手企業がやる事であり、自分たちの影響も小さいので、積極的に取り組む必要がない」、「イメージなどのメリットは中小企業には無関係」などの考えのようである。だが、それは違うと思う。

　日本は、１部上場企業のような大企業は０.３％、中小企業が９９.７％を占める構造である。しかも、中小企業の中には技術力の優れた企業が多く、質量ともに重要な地位を占めているのである。

　中小企業のみなさんが、それぞれの分野で小さな行動を起こせば全体でいかほどの力になろうか。小さな貢献が積もって大貢献になるのであり、個々のレベルでの環境問題をお考えいただく事を切にお願いしたい。

第13章　環境問題総括と日本の役割

　ローマ教皇の言葉「理想を語らぬ政治に危機を持たねばならない」は、昨今の世情に重要な示唆を与えていると思う。理想や夢を語り、より幸せを目指す大切さであり、理想を非現実的と決めつけて、試行錯誤を怠るなら進歩はないと仰っているのではないだろうか。環境問題で理想とも思える提言が多くみられ、それに向かう運動・努力が報道され喜ばしい。しかし、言いっぱなしではなく、実行が伴わねば効果はない。

　環境問題は地球の存亡に関わる問題、すなわち、人類が生存を続けるために必要な条件を維持する問題である。人類が棲み続けるための安全性を求める重要性を認識する書となる事を願っている。

　「誘因」は災害をもたらす原因、「素因」は地球の持つ脆弱性を最小化する行動、とのコメントを紹介したが、双方に人類が叡智を集めようとするのが、環境問題への対応であろう。誘因は気候変動、自然災害、人工的災害であり、素因は人的・物的被害の回避である。したがい、誘因をいかに抑制し、素因をいかに導き出すかを追求する事である。問題の具体的内容やその性格を探り、課題

や解決の模索を提唱してきた。

　環境問題を課題主体で分類した4項目、すなわち、資源問題、廃棄物、自然災害と人工的災害、環境保護が環境問題のほぼ全てと言っていい。それぞれの誘因と素因を挙げて、解説を試みた。

　「資源問題」では、温暖化という誘因を制御するため、脱化石燃料と代替エネ開発という素因を論じた。そして、将来のエネルギー構成がどのようになるかを想定した。その中で、再生エネを主力電源化するとの理想とも言える目標達成が、いかに難しいかを明らかにし、困難克服を唱えた。

　「廃棄物」では、その処理が素因の中でも最も難しい部類に属すことを指摘し、脆弱性の最小化の困難さの一端を示した。量的・質的にとてつもない時間と手間を要し、かつ放射能等の人的被害を避ける難しさも加わり、莫大な費用の調達問題もあって、解決には程遠い現状を述べた。

　「自然災害と人工的災害」では、列記した災害の種類のほぼ全てが毎年起こっている日本は、災害先進国のトップランナーという有難くない位置づけであり、種類ごとの素因を世界に示す責務をも持っている。

　脆弱性の最小化には、例えば津波に対する防波堤等が

あるが、筆者が特記したいのは、脆弱性の最小化の典型例ともいえる建造物の強靭化である。今後の社会インフラや建造物は、より硬い、軽い、加工性が良い、腐食フリーな新素材を多用し、風水害に強く、マグニチュード１０、震度８の地震にもびくともしない堅牢構造にする事である。すでに発表されている技術に、東大と東レによる新素材開発がある。金属より加工が容易、鉄より強度１０倍、重さ４分の１、短時間成型・変更・接合可能なる優れモノであり、毎年の莫大な損害削減や廃棄などの後処理コスト減といった日本の国力強化に繋がる。

　２０２０年１１月に公表された明るいニュースがある。東亜合成は植物由来の次世代素材、セルロースナノファイバー（ＣＮＦ）の価格を従来の２割に抑える技術を開発したというのだ。一挙に実用化に近づきそうだ。ＣＮＦを樹脂に混ぜると強度が上がり、まずは自動車用に実用化を考える。ＣＮＦは樹木の繊維を薬品などで、ナノ（１０億分の１）メートル単位までほぐした素材で、同じ体積の鉄に比べ、重さ５分の１、強度５倍という。日本の中堅どころの技術が素晴らしい。

　さらには、既設建造物であるビル、集合住宅、商業施設、道路、橋梁、トンネル、鉄塔などの老朽化検査をドローンなどの運搬機と強力なセンサーを駆使して、数値化された老朽度を基に、手早く改修する災害防止策を実

施する時代になろうとしている。

　災害への対処策が進化するに従い、法整備も欠かせず、より迅速な防災を可能にすることが肝要となる。

　「環境保護」では、国際的枠組みが中心的役割を果たしている。災害がもたらす誘因である地球温暖化の制御は、環境問題の最大テーマの一つだが、国際的枠組みであるＣＯＰ（Conference of Protocol：締約会議）は長年にわたる本テーマの討議の場であった。

　各国の異なる事情を乗り越えて１９６カ国の合意を成したパリ協定は大快挙であり、人類が地球の生き残りを賭けて努力して成し遂げた成果である。米国が政治の具にして脱退し、特定国の覇権の具となっては、努力が水泡に帰する。協定の価値を認識する手段をもっと強化すべきだ。世界が一つになる絶好のチャンスであるのに。

　京都議定書、パリ協定、ＳＤＧｓといった世界的努力が続けられ、それに水を差すような行為が徐々に退けられて、念願の「産業革命からの気温上昇１．５度」を達成するシナリオの実現を祈りたい。その間の政治問題化や国際問題化を回避する手段も講じなければならない。世界の人々が幅広い環境問題の認識を深める事が、政治化等に歯止めをかけるわけで、多くの機関での提唱がものを言う。事実、ＥＳＧ等の運動が、多くの分野での提

唱を行った結果、人々の意識が３Ｒや節約、可食物廃棄の「もったいない」、コスト高でも環境にやさしいもの選びに向かい、企業は、温暖化ガス削減に向けたイメージアップ等を重視する等、人・企業が変化に対応しようとしており、大きなうねりとなっている。技術進化の影響を受けて意識変化を生み出す循環が形成される。

これまで述べてきた全ての環境問題に関わるのが技術進化である。誘因の制御、素因の促進双方に圧倒的な影響力を持つので、技術問題なしに語ることは出来ない。世界の人口は拡大傾向であり、他の要素も加わり、経済も拡大を続けるが、それに伴って、誘因と素因双方も拡大するのが宿命である。この双方の拡大に対応するのが技術進化である。

環境問題の鍵とも言える技術につき、日本の現況をまとめる。誇張ではなく、日本の技術進化への危機感を強調し、その根源にも触れた。後れを取り戻すためには、莫大な資金を用意しなければならないことは自明で、国家方針が技術に向かわない限り、国際競争での敗者になる事も当然である。この簡単な論理をないがしろにしてきたつけが、日本の劣勢を招いたと言える。

個々の企業は充分、実力を保持しているが、企業単独では、国家支援の絶大な独裁国家には対抗できない事も

明らかになってきている。日本の技術進化レベルを引き上げるために、国家が果たすべき役割を明確にし、中国に対抗する事が焦眉の急ではないだろうか。技術は企業間の競争原理で切磋琢磨せよと叫ぶだけでは、太刀打ちできないように思う。民主主義の修正という事か。

　それでも、本来の日本の実力を示す一条の光も報道された。スーパーコンピューター機能の世界一の認定を受けた「富岳」、ＮＴＴの大容量光伝送、運搬車・建築物・構造物向けの軽・硬・強の素材、水素化技術、水素ＬＮＧのサプライチェーン、「はやぶさ２号」の地球帰還、まだまだ他に存在すると思われるが、日本の実力回帰は、ほんの一押しでトップランナーになる可能性を秘めているように思われてならない。

　環境問題の最大課題、誘因である温暖化の防止に対し、素因の水素社会作りがある。日本が水素関連総合技術のトップランナーとの評価がある。国外太陽光〜発電〜水電気分解〜水素抽出〜ＬＮＧ化〜タンク建設・貯蔵〜運送用特殊船建造〜サプライチェーン構築〜陸揚げ施設〜タンク貯蔵〜発電等水素利用といった連鎖全てのノウハウと技術は世界に冠たるものがあり、日本の誇りである。低温・圧縮をベースとした一連の建造と巨大タンカーによる需要地アジアへの搬送、全てにまたがる巨額

のファイナンスに金融界を巻き込んだ総合取り組み、これをオーガナイズする総合商社という日本固有の企業の役割も加わった、まさに日本株式会社の強みである。個別の技術のみでなく、この様な総合取り組みの日本の役割も、大きく環境問題に貢献する。

　日本がトップランナーを目指すのは、決して経済的覇権を求めるのではなく、ＳＤＧｓに謳われている１７項目を目指すことである点を事ある毎に強調する必要がある。この様な日本の役割を果たすためには、国力が弱いままでは難しい。高齢化社会を盤石にしながら、国土強靭化による災害防御を果たし、安定国家の礎である社会保障問題にも目処をつけ、環境問題にかかる巨額の出費に対応する処方箋（国費の無駄排除）を実行に移し、国民の負担増が避けられない事を率直に訴えてゆく政治が必要である。この様な大事業である認識を、全てのレベルで共有する重要性を強調したい。

　第１１章に列記した課題１０項目の「環境問題に要求される技術分野」を再度注目頂きたい。一つ一つが非常に高度な技術かつ莫大な資金を要する。各国とも、容易に処理出来るものでなく、各国が政治決断でコミットしても、その達成を疑って当然と思われる。目標への持続

可能な世界のロードマップを現実的内容を基に作成する必要が大いにある。特に裏付けとなるファイナンスが欠けたプランは、言いっぱなしに終わることになる。リーダーとしての重要な動きは、この様な問題を指摘をして、まとめ役をこなす事であろう。

（脱炭素と再生エネの国際情勢）

　脱炭素に於いて、日本は後れを取っている。ＧＤＰを生み出すために、どれだけのＣＯ２を排出したかを示す数値が、日本は１９９０年代から横ばいであるのに対し、ＥＵは２分の１から３分の１に圧縮している。日本は付加価値を生むために排出されるＣＯ２を削減していないという事である。２０１８年のＧＤＰ１万ドル当たりの排出量２.５トンは１９９５年当時と同じだ。省エネ化を進めていた日本はＧＤＰ当たりの排出量の少なさで先頭に立っていた。

　ＥＵに抜かれた原因は電力。ＥＵでは再生エネ電気価格が火力発電を下回り、しかも１８年には再生エネ発電量が３４％までになった。英国のＧＤＰ当たりの排出量は１９９５年の３分の１、日本は再生エネが２割に留まった上に、１１年の大震災で原発停止、火力発電依存増大が原因で、この様な結果になったのである。

　日本の企業が環境に消極的というわけではない。英国

の非政府組織ＣＤＰの評価では、日本企業３８社が最高評価を獲得、米国を上回って最多である。日本が足踏み状態となった今一つの理由は、鉄鋼や化学といった基幹産業の大量排出があることで、みずほ情報総研の元木悠子氏は、「産業構造の転換が遅れ、国全体の排出量削減が進まなかった」と指摘している。

　ＥＵはコロナで落ち込んだ経済を環境対策で立て直す「グリーンリカバリー」に入っている。排出を抑えた工業品や素材の生産、再生エネを無駄なく使うための蓄電池分野で革新的な技術開発があれば、日本も環境と経済の二兎を追う事が可能となる。

　２０２０年末の調査結果によると、日本の再生エネの割合は、１９年度で、前年度より１．１ポイント上昇の１８．１％だが、ＥＵの４割とは大差がある。独４２％、英３９％、スペイン３８％、中国２８％である。注目すべきは、ＥＵの脱炭素シナリオで、再生エネの割合を、５０年には８１〜８５％とし、大半が太陽光と風力としていることだ。この意欲的シナリオには、グリーンリカバリー構想が組み込まれており、これに対し、日本独自のシナリオが見えず、置いてきぼりの感があって、寂しい。

米アジア・ソサイエティー政策研究所、ケビン・ラッド所長のコメントだが、アジアがＣＯ２排出ゼロのカーボンニュートラルになる道筋が見え始めたという。中国が６０年度、日本が５０年度ゼロ宣言を行った事を捉えて、市場からの要望に基づくものであるとしている。アジアの大企業の動きに沿っており、タイ最大財閥チャロン・ポカパン、マレーシア国営石油ペトロナスのカーボンニュートラル公約にも留意している。アジアが欧州同様、カーボンニュートラルな大陸になるというヴィジョンを受け入れる必要性を説くわけだが、高い石炭火力シェアを持つ地域であり、簡単ではなさそうに思う。

　いずれにしても、経済成長が高いアジアも動き出したと指摘するもので、危機感と政治の共振が潮流を作りつつある。多様性の濃いアジア各国のヴィジョン共有は、難しさがあるが、それに向かう努力は極めて重要ではある。

　蓄電池が重要性を持つ時代に入る。安価なナトリュームや鉛を使いつつ、高性能化を果たす技術である。再生エネ電気が電力会社よりも安くなると、一挙に再生エネ化が進む。太陽光や風力は天候によって発電量が変化するので、作った電気をいったん蓄電池に溜め、需給に合わせて電力網に流す仕組みを作るのに決定的な役割を果たす。

リチュームやコバルトを使用するリチューム電池は高く、普及のネックであるが、東京理科大学が開発したナトリュームイオン電池は１〜２割安、充電速度が速いため、さらに性能が上がれば普及が進む。鉛電池も、古河電池の開発により、従来の半分の大きさで、同じ性能を得た。これら電池は、まず自動車用に実用化し、電力貯蔵用に広げる順序を組んでいる。

　電力貯蔵用の市場は、１９年比、北米が２５倍、中国とＥＵが１１倍、日本が６倍を見込む。再生エネコストが下がり、蓄電池性能の向上と組み合わせて、電力会社より安く再生エネ電気を買える世の中が見えてきた。経済産業省の試算では、寿命が１５年の蓄電池の場合、１ｋｗｈ当たり６万円になると、損益分岐点に到達する。産業技術総合開発機構（ＮＥＤＯ）の目標は２万３千円、現在のリチュームイオン電池の導入費用は、１０数万円である。蓄電池の環境への貢献度は非常に高くなり、日本の技術進化に期待のかかる分野である。

　何度か繰り返したが、日本の役割を明確にし、本書で述べた諸課題に取り組む総合対策組織の設置が欠かせず、専門家集団による取り組みのみが日本のリーダーシップを作り上げると信じる。戦後７５年の今から、次の７５年でのパックスジャポニカの世紀を夢見る。

総合対策では多くの不測の事態に対処する点も織り込まねばならない。

　２０２１年２月のテキサス大停電は想定外の事態を引き起こしたが、将来にわたり多くの教訓を与える実例である。

　テキサスは記録的な寒波に見舞われ、４３０万人強が大規模停電の影響を受けた。全電力に占める風力発電の比率が４２％の同地は寒波で発電用タービンの半数が凍結し、比率が８％に落ちた。マイナス１８℃の極寒の中で、数百万人が凍える夜を過ごし、また屋内駐車場等の閉鎖空間では長時間のエンジン使用は一酸化炭素中毒を引き起し、ＥＶの電源使用は充電切れが短時間で到来、いずれも避難に役立たず、多くの死者を出す結果となった。

　風力発電設備の凍結やＥＶの電源活用不能の事態はそれぞれの脆弱性を浮き彫りにした。バイオマス、水素、アンモニア燃料による発電やこれら燃料を使うエンジン車に注目が集まる。停電回避と暖房（猛暑の場合は冷房）に役立つシステムを持てとの教訓である。

　合成液体燃料ｅ‐ｆｕｅｌ（イーフュエル）が有効とされる。発電所や工場から回収されたCO_2と水素H_2を合成することで得られ、ガソリンに混ぜる事でCO_2排出を減らせ、水素社会を目指す日本での実現性は

高いと言われている。ウォールストリートジャーナル（２０２１.２.１８付）は今後の航空機燃料がバイオマスとe-fuelの２本柱になると報じている（国際コンサルティング会社、クレアブ社長 土井正己氏）。

　要するに、災害に強いのは水素エネによる家庭用燃料電池であり、ＥＶではなくe-fuelのエンジン車である事を示唆し、災害に強力な助っ人を準備すべしとするものである。

　蓄電池は放電するが、水素は数年間保管が可能、高密度のため場所もとらないメリットがある。e-fuelも電気より長時間の使用に適している。また、ＣＯ２電源化の技術進化で、常温で使いたい時に使いたいだけのＣＯ２を電源化するという小回りの利く手法は極めて強力な災害回避策でもある。新たなシステムがスピードを速めて開発されることが期待される。

　また、念頭におかねばならない点の一つは、原材料調達が廃棄リサイクルまでのライフサイクルで見ると、火力発電所で作られた電力を充電するのであれば、ＥＶはハイブリッド車と大差がないことだ。エンジンから出るＣＯ２を削減する方法としては、エタノールなどのバイオマスや水素燃料の他にe-fuelが注目され、災害時でのモーター車よりもエンジン車の有効性に脚光が集まりそうだ。

第 14 章　環境問題が引き起こした
２０２０年の大変動（I）

（経済周期、企業改革、ICT の功罪、国際問題）

　２０２１年初頭、日経新聞が各方面のコメンテーターが見る時代の推移を特集した。その内容はいずれも大変動を赤裸々に描く変遷の過渡期である。環境問題をトリガーとする変動であり、トフラーも予測できなかった異質のものと言える。

　２０２０年は「歴史的変動の年」と後世に言われよう。終戦から７５年、高度成長、停滞、再生模索を経て現在に至ったところでコロナ禍、次の７５年が技術進化による新様式で個人・企業・国家が変わる様を伝える内容である。

（１）経済周期

　終戦年１９４５年の７５年前は１８７０年（明治元年の二年後）明治維新。維新、終戦に続く今回が体制変化に並ぶ変動とする７５年周期が現れ始めた。各節目は経済に大きな影響力を持つが、その経済周期で知られるのが、①最短である在庫投資の４０カ月、キチンの波。②設備投資の１０年、ジュグラーの波。③建築の２０年、

クズネックの波。④技術革新の５０年、コンドラチェフ
の波。

　日本の複数学者が唱える１５年周期もあり、１９１５
年以降１５年おきに、大正デモクラシー・軍国主義・戦
後民主主義・高度成長・バブル崩壊と停滞・失われた期
間・グローバル化・その逆ブレ期である。今回の環境問
題を要因とする２０２０年の変動が、上述の周期説を変
える複雑な形になるのだろうか。ここでコロナ禍が加わ
り、経済活動減少とそれに対する金融出動が盛んだが、
常態化には長期間を要しそうである。

　最近の２５周期説が、東大大学院の吉見克人教授
の説である。１８７０～９５年「開化と国家建設」、
１８９６～１９２０年「帝国主義化と階級闘争」、
１９２１～４５年「経済恐慌と戦争」、１９４６～７０
年「復興と成長」、１９７１～９５年「豊かさと安定」、
１９９６～２０２０年「衰退と不安」である。

　全てが最後の２０２０年をヒットしている不思議さが
あるが、決定的な要因として挙げるとすれば、境目を起
点として構造変化を起こし、社会的意識を変える要素が
存在する事であり、今回はそれが環境問題である事で、
納得できるように思う。

２０世紀最大の対立は米ソであり、ユートピアを争って民主主義が勝利を収めた。２１世紀に入り、ITバブル崩壊、リーマンショック、所得格差拡大（上位１％の高所得者が２０％の所得を占める不平等）を起こしたところで、コロナの襲撃に会い、米国はディストピアとなり、中国も同様となって２つのディストピアを形成した。ユートピアを追うのではなく、ディストピアに陥らないようにするのが新たな追求となる（国際基督教大学岩井克人教授）。

　自由が束縛され、法遵守が疎かになる２大ディストピアを出現させた２０２０年から、いかにユートピア追求に戻すかは至難と思われる。

（２）技術と企業政策

　コロナワクチンが実用化に向かった２０年末、世界のマネーは安全資産からリスク資産に移動しはじめ、リスクオンに入った。株中心の投資信託からの資金流出が流入に転じ、逆に金投資の信託は流出に転じた。金から株への移動であり、日本の株式市場でも、従来の外国人売り越しパターンが買い越しに転じた。外需で受ける恩恵が日本企業に多いのが要因である。

　株式市場は日本企業の改革に期待し始めた。研究開発

費が少ない日本企業に、投資家は不満を抱いていた。米国主要企業は２０年間に４倍以上増やしているが、日本企業は売上高と同じ２倍どまり、技術大国は名ばかりの状態だった。特許件数も米中に引き離され、科学系受賞に沸いたノーベル賞も２０年はゼロに終わった。技能国際大会での金メダルも、０７年が１６個に対し、１９年は２個になった。

　日本の風土が失敗を許さない、失敗者は左遷、新しいことを阻む、イノベーションと真逆、事なかれ主義といった事が影響している。ゾンビ企業の定義は「株の時価総額が純資産を下回るＰＢＲ（株価純資産倍率）１倍割れ」が常態の企業である。日本の１倍割れ銘柄は半分と、米国の２倍である。米韓印が過去最高の株価を出しているが、日本は８９年の３８，９１５円の８割に満たない状況である（２０年末　原誠氏）。

　上述の日本のマイナス思考内容に対し、国内外が日本の技術進化と風土の変化に期待し、コロナと環境問題が企業の改革を迫っているように思える。

（３）政治
　２０年は大恐慌以来の経済危機と言われる。１７０万人の死者を出した世界的コロナ禍を指す。

ＥＵからの英離脱という統合の歴史的後退、米のＷＨＯ離脱、米主催の主要国首脳会議の初めての未開催、中国による香港自治約束の破棄、他地域への中国の覇権行使等どん底の年と名付けてよい。２１年から好転するというのは、ライシャワー研究センターのケント・カルダー所長。主たる要因はワクチン接種開始と米大統領交代である。ワクチンを追い風に、２１年の経済は１９７８年以来の４０年ぶりに高い成長を予測し、ウィルスではなくワクチン、封鎖ではなく経済再開、収縮ではなく回復、を唱えるのはバンクオブアメリカの発表だ。

　今までの米の対中交渉が農産物輸出のディールであったのが、２１年からは民主主義体制の国々からの知的財産保護、国有企業補助の撤廃、人権尊重を軸とする包囲網に変わり、中国にとってより厳しい条件となる（菅野幹雄氏）。

　しかし、コロナ発生地中国がいち早くコロナを収束させ、経済成長も他国に先んじて急回復させ、弱小国への援助を実施する手早さに警戒感を持ち、覇権強行に歯止めをかける民主国家の知恵が問われる時代となろう。

（４）ＩＣＴの功罪
　ＩＣＴの利活用が広がりを見せるに従い、不正利用も

広がるのは世の常である。２０年が一挙に拡大した年とすれば、２１年以降はいかにデジタル化の負の側面を制御し、技術恩恵の最大化を模索するかの時代となる。データの不正利用、サイバー攻撃、本物そっくりの動画や音声のフェイク犯罪、フェイクニュースによる扇動、証明書偽造等枚挙にいとまなしだ。

　同時に不正防止策も開発される。例えば、ステイクテクノロジー（東京）では、処理能力が高く、使いやすいブロックチェーン（分散台帳）を開発、巨大ＩＴ企業に集中したウェブ２．０から脱却し、データの流れが透明で個人主体のウェブ３．０を信頼できるテックとして実現する。

　条件が満たされれば自動的に契約内容が実行に移されるスマートコントラクトは取引の公正さを保つことが出来、巨大なシステムに発展させることが出来る。中身の改ざんが不可能で誰もが検証できるブロックチェーンはサプライチェーンの安全確保や決済、金融商品、個人のＩＤ管理、紛争処理等活用範囲が広い。デジタルの信頼性と重要性の双方を確実にする。

　不正防止のブロックチェーンは、３０年までに世界のＧＤＰを１．７６兆ドル（２００兆円）押し上げる試算もある。

　技術の進化は大きいが、扱う人間のモラルや能力が追

いつかず、健全化が後追いになる事が多い。コロナは技術進化を促し、リモートワークや不正防止に成果を見出しているが、倫理、社会規範をも並行して求めることが肝要である（村山恵一氏）。

　自動車に依存してきた日本産業は燃費時代を終え、電費時代に移行する。２１年が電費元年である。燃費（ガソリン消費）と電費（電気消費効率）は似て非である。前者がアナログ、後者はデジタル。

　テスラがＥＶの次にエアコンを考えているのは電費時代を見越した戦略である。電費はそれ自体価値を有する。カルフォルニア州には２０００年からＣＯ２排出枠市場があり、ＥＶ専業の同社は、日本メーカーに排出枠を売って、なんと数百億円の利益を計上している。企業のＣＯ２排出削減を可視化し、証券化して売買する市場を活用してきた。

　ガソリン車のＣＯ２排出量をアナログ的に計算している現在から、今後の車や家電は取引所と直接つながり、電費をどれだけ抑えたかを、逐一取引する。電力なるエネルギーは、発電・放電・蓄電全ての過程でデジタルデータとして捕捉できるからである。生活時間帯で見ると、建物と車で過ごす時間が毎日１４時間、その間の電力使用量（ＥＶを含む）を再生エネで賄う量は極めて大きく、

電気経済圏とも呼べる消費を、排出枠に載せるビジネスモデルである。重要なのはハードではなく、ソフト価値の取引であり、技術面では暗号技術による情報改ざんや流出を防ぐブロックチェーンや現実世界を仮想空間上で再現するデジタルツイン（電子の双子）が実用化される。車とエアコンが仮想空間で稼ぐ道具になりそうだ。

　テスラ以外でも、モビリティー・オープン・ブロックチェーン・イニシャティブ（ＭＯＢＩ）なる米非営利団体が世界中の車をデジタルツインにするための企画を目指している（中山淳夫氏）。

（5）国際問題

　コロナ菌発生地の中国が、いち早く拡散を収束させ、他の国々が依然として、てこずっている状況（２１年初頭）が何とも異様である。米国内分断化、英ＥＵ離脱、ＥＵ弱体化は民主国家が一体化出来ず、中国の覇権的拡張を許している。それでは、中国が世界の秩序を主導できるかと問えば、それは否定的である。米中の政治経済的争いが長期化の様相、中国の技術進化のすさまじさ、武力・覇権の増大は、米国にとって許しがたい現象なのである。さらに、環境問題は、本来米国主導で解決する重要課題だが、混乱のスキをついて中国が米国にとって代わるなど、米国は受け入れる事が出来ないことだ。

環境問題主導、コロナ援助などが、中国によって実施に向かい深化すると、一党独裁国が民主主義国を制御する大転換を成し遂げることになり、自由民主主義が後退し、ソ連崩壊を成し遂げた民主主義が初めて独裁主義の統治下に入ることになる。世界の大半は自由のない世界を望まないと考えられるが、経済を武器とする覇権に歯止めをかけるべき自由主義連合が分断された状態では、極めて厳しいと言える。自由主義国の技術進化が役割を果たす時である。自由主義国が一体となって、まずはコロナ制御、そして経済成長と国力回復が不可欠で、技術が主役となる。

第 15 章　環境問題が引き起こした 2020 年の大変動 (II)

（技術編）

　２０２０年を境とする世の変遷を技術面から捉える、「第４の革命」と題するコラムが日経新聞に連載された。本書で述べてきた内容の具体的事象の数々であり、２０５０年の姿への道程でもあるので、まとめる事とした。軸となるのは、カーボンゼロを目標とする新技術であり、人の行動であり、街造りという実に楽しい、うきうきする取り組みである。

（１）充電技術進化の貢献度は大きい

　ＮＴＴは使用電力量の１％を占める消費者だが、全国に７３００個の通信ビルでの消費である。このビルをいかに活用するかを考える。結論として、各ビルに蓄電所を置いて、再生エネ発電の受け皿とする事になった。

　加えて、全国に配車されている車をＥＶに切り替え、災害時にも活用する構想だ。分散する再生エネ発電所をＩＣＴの力で繋ぐ電力インフラと新規仮想発電所事業（ＶＰＰ）で、３０年までに大手電力会社に匹敵する規模とする。

他の上場企業３９社も、ＣＯ２排出ゼロ目標を設定
し、グリーントランスフォーメーション（ＧＸ）に向か
う構想を打ち出している。ＣＯ２排出業界である、鉄鋼・
精油・発電は厳しいが、新たな先端設備への投資を要し、
これが逆に経済対策になるとの考えである。

　デンマーク電力大手のオーステッドは、「世界的再生
エネ企業への事業転換を完了」と宣言、電力・ガスの小
売部門を売却して、洋上風力中心の再生エネ事業に集中
する体制とした。黒から緑への転換と呼んでいる。再生
エネ出力は、３０年に原発３０基分の３０００万キロ
ワットとなり、ＣＯ２排出を９８％削減する。この様な
戦略に対し、投資家は好感し、時価総額が１６年度の５
倍、９兆１千億円となって、今や世界のエネ大手ＢＰを
凌駕する存在となった。カーボンゼロが世界を制する時
代の到来だ。

（２）発電の新技術もまた楽しい

　２０５０年の世界の電力需要は、現在の２倍となる。
東芝のシニアエキスパート都島顕司氏はフィルム型太陽
電池を開発中である。電気を生む効率は、世界最高の
１４・１％という。ビル壁面、ＥＶ、自動販売機、スマホ、
衣服、カーテン他どこでも設置可能である。太陽電池は
「ペロブスカイト型」と呼ばれる。液体原料を塗るだけ

で、薄く透明で街中が発電所になる。

　今後１０年で、今の太陽電池は２０％に迫ると言われる。米スタンフォード大学のチームは製造法も革新を重ね、１キロワット時当たり２円という、最安値の再生エネ価格を予測している。ペロブスカイト型を発明したのは、桐蔭横浜大学の宮下力教授、ノーベル賞候補と言われている。

　この様な電池の研究者は、すでに中国に１万人、日本の１０倍であり、過去に日本が技術開発したにもかかわらず、市場獲得が出来なかった苦い経験の轍を踏まないようにしてほしいと思う。

　その他の技術に、長崎県五島列島の海峡急速潮流を利用するプロペラ発電、日本近海に存在する原発２０基相当の潮流エネルギーの活用がある。

　エネルギーコストが嵩めば国家の競争力は低下する。再生エネを５ポイント増やすのに、ドイツは、年３０億円の負担を国民に強いているが、日本は１．８兆円である。安いエネルギー開発は日本の重要課題なのだ。石油の世紀が終わり、新エネルギーが主役となる世紀に、政治と経済の秩序が伴わないと、どんどん後れを取ること必定である。

（３）化石由来に代わるエネルギー源の筆頭が水素であ

る

　産油国も石油メジャーも生存を賭けて水素事業にシフト中だ。

　ロイヤルダッチシェルがＮｏｒｔＨ２（ノースＨ２）事業で、３０年までに最大４００万キロワットの洋上発電を整備し、海水を電気分解して水素を生産する計画を発表している。水素の製造色分けを行い、化石燃料から取り出す製法を「グレー」、製造過程で生じるCO_2を回収するのが「ブルー」、再生エネで水を電解するカーボンフリーの製法が「グリーン」としている。ノースＨ２はグリーン水素を作り、４０年には１０００万トンのCO_2排出削減を達成する計画である。

　ＥＵは５０年までに洋上風力を現在の２５倍に引き上げるため６０兆円投じる。

　水素はロケットを打ち上げる強いパワーで知られるが、航空機の動力源に使うと温暖化ガス発生ゼロだ。さらに、鉄鋼・化学・発電・精油に進めれば、究極の資源となる。

　ポイントはコスト。２０年末の試算では、ＥＵのグリーン水素生産コストは、１ｋｇ当たり６ドル、３０年でのコストが１．８ドルまで下がれば、世界のエネルギー需要の１５％を満たせる。

　日本の場合、５０年の排出ゼロを宣言した東京ガス

は、現流通水素価格、１kg当たり１１００円を３分の１にする政府目標を前倒しすると宣言した。切り札は、１４万台販売する家庭用燃料電池「エネファーム」である。ガスから取り出した水素を空気中の酸素と反応させ電気を作る原理を逆転し、水を電気分解して水素を生成する。小型化と量産でコストを下げ、安価な再生エネを目指す。

　オールジャパンで水素を生産する企画。東北電力は原発予定を切り替え、福島県に「福島水素エネルギーフィールドＦＨ２Ｒ」を完成させた。世界最大級の電気分解装置は旭化成の開発による。

　日本でのグリーン水素製造コストは流通価格の１０倍であり、低廉な海外水素確保には運搬船、受け入れ施設他インフラ整備を要する。エネルギー多様化を迫られる日本は、１９６０年代に培ったＬＮＧ調達システムの活用が可能であり、力強いバックアップである。

（４）今後の原発炉は小型化

　一挙に原発をなくすことは経済維持の観点から困難だが、再生エネ化の過程で引き続き原発に頼ることになる。米では安全性の高い小型原発に向かっており、ニュースケール・パワーは通常の１００万キロワット級を数万キロワットに縮小、よくみかける巨大な建物、配管、冷

却塔はなく、ちょっとした体育館のようだ。5〜6本をプールに沈め、事故があっても炉心を冷やすシステムで、放射能ゴミも少なく、顧客の希望に合わせて、大きさ、コストの交渉が可能である。送電網のない地域でも設置でき、利点は大きい。

ロシアでは原子力砕氷船を浮体式海上原発に転換、必要とする地域に原発を運ぶというシステムである。結果として再生エネが普及しても、5〜6割の状況の段階が長期化する見通しなので、CO_2排出の少ない原発を効率よく使用するエネルギーミックスを考える。日本でも、再生エネ化の不足分を補う原発と火力が30〜40％必要で、その分CO_2回収と貯蓄技術でニュートラルを達成することになる。

しかし、地中貯留コストは1トン当たり7000円、このため石炭発電コスト1キロワット当たり12.1円が、貯留費用加算で19円となって、原発10.1円との差が広がることになる。コストアップは日本全体の競争力減退であり、エネルギーミックスの最適化は重要かつ難しい問題である。

（5）気候変動をリスクとして取り上げ、情報を開示する動きが重要性を増す

オーストラリアのマーク・マクベイ氏（25）が、気

候変動リスクの開示が足りないと大手年金会社レストを訴え、レストは５０年にＣＯ２排出ゼロをコミットした。自分たちの貯蓄が責任を持って投資されるかを確認できたと満足気だった。

世界のＥＳＧ投資は３０.７兆ドル（３２００兆円）、全投資額の３分の１になり、気候変動に真剣か否かをマネーが監視する時代に入った。

英の非政府組織ＣＤＰが、世界の９５２６社の気候変動対応を格付けしたところ、日本企業５３社が最高評価を受けている。２０年のコロナ禍の中でも、ＥＳＧ投信への流入が３０００億ドルと１９年の２倍となっており、気候変動が大きなリスクに浮上していることを示した。

スウェーデンでは、中央銀行リスクバンクが購入する資産から環境配慮のない企業の社債を外した。国連防災機関によると、２０００〜１９年の２０年間の洪水等の自然災害は７３４８件、１９８０〜９９年の１.７倍で、経済損失は１.８倍の２.９７兆ドルだったという。

国際決済銀行は気候変動が次の金融危機を引き起こすと警告している。今の金融資産には気候変動や環境破壊のコストが織り込まれていない危険性の指摘である。対応が遅れると、世界のＧＤＰが今世紀末までに、２５％失われるとの試算である。

（6）鉄道と航空産業の将来は興味深い

　航空機は鉄道機関車の５倍の排出量、飛び恥を意識し、飛行機を避ける動きがある。運輸業はＣＯ２排出量の２割を占める。航空機は、乗客１人の移動１km換算で、鉄道の５倍なのである。旅客機ではＥＶほどの技術が確立していない。今後の航空は、エアバスが３５年のゼロエミッションのコンセプト機を実現させ、液体水素燃焼のガスタービンに期待がかかる。ジェット機以来の大変革となる。

　ミュンヘン郊外に、空のテスラが存在する。電動の垂直離着陸機ｅＶＴＯＬ（イーヴイトール）を開発するリリュウム社である。２５年に商用化、空飛ぶ車が次々と現れる。

　中国の小型車メーカーがＧＭと開発した小型ＥＶは、航続距離１２０kmながら４６万円、地方都市で爆発的に売れている。内燃機関のないＥＶ部品は、３万もの部品を要するガソリン車の４割減であり、日本電産の永守会長は現在のＥＶ価格は将来、５分の１となると断言している。

　スマートシティーの開発も進み、ゼロエミッション車（ＺＥＶ）のみが走る静岡県の７０万平米の土地が用意されている。

空飛ぶ車、ＺＥＶ、スマートシティーの開発は、環境問題解決を成しながら、新たな雇用創出をも生むもので、経済成長を後押しする好循環を期待したい。

（７）打てる手は全て実行、都市改革
　コペンハーゲンは１９年のＣＯ２排出量が１０２万トン。１２年からは４割ほど減ったが、次なる４年の２０年にはどの程度の削減となるか挑戦中だ。
　２５年には、７５％が徒歩、自転車、公共交通を使用する事が目標とされている。駐車場閉鎖、大型トラック市内規制、ＥＶ駐車無料等可能な手段を実行に移す。さらに、風力発電を１０基新設、下水汚泥からのバイオガス利用、ＣＯ２排出前の回収と北海油田跡の地中埋設を加え、年５０万トンのＣＯ２削減を狙う。
　ノルウェー科学技術大学、信州大学の国際研究グループの１８年発表によると、世界１００都市のＣＯ２排出は１８％を占めた。都市人口の割合が１８年の５５％から５０年には６８％に上昇する試算なので、都市の削減は効果大である。
　ニューヨークでは、排出量の７割が建物由来であり、直近１０年で２３％の削減であった。２４年から５万棟のビルに排出上限を設け、超過分に罰則を科す。市長は、断熱の高い窓ガラス、冷暖房の効率向上、無駄動作

を省くエレベーター等の必要経費４０億ドルも、都市が
リードして戦うとして出費を厭わない。都市の行動が世
界に広がりを見せている。

（８）前述の蓄電池に、さらなる動きが始まっている

　アマゾンのカーボンフリーに向けた経済圏造りであ
る。ベゾスＣＥＯが４０年にニュートラル達成を宣言し
た。１９年売り上げが２割増しの同社は、トラックや
クラウドサービス強化で、ＣＯ２排出が１５％増であっ
たことからすると、大きな決断である。切り札は、電動
トラックへの切り替え１０万台と電池関連事業のレッド
ウッド・マテリアルである。

　情報関連の消費電力は、５０年には２０年の２００倍
となる。太陽光や風力は気まぐれなため、発電量の不安
定が欠陥だが、優れた蓄電池が補完する。電気を塩に変
え、塩に溜める。溶けた塩は大量の熱をタンクに長期間
保管でき、リチュームイオン電池が数時間単位の蓄電に
対し、塩は数日から数週間溜めることが出来る。必要の
都度、熱と冷気の温度差から電気に戻す。コストも安い。

　元素のイノベーションに注目である。東京理科大学の
研究は、トリュームとリチュームに替えて、ありふれた
ナトリュームを使い、性能を１９％向上させた。カリュー
ム、カルシューム等の元素応用含め、元素応用の競争が

激化しそうだ。

　電池は自動車分野に限らず、据え置き蓄電池は５０年に３００倍の需要予測がある。オフィス、家庭の使用であるが、日中は太陽光、雨の日は蓄電池。やはりコストが最大の難点となる。蓄電池の価格は、１キロワット時当たり４万円を下回ると、電力会社から買うより太陽光の方が安くなる。テスラが２０年に、日本で発売した蓄電池が７万円台、国内勢の価格の３分の１である。４万円を切るまで、あと一歩のように思えるが、国内勢の競争力が極めて低いのが気がかりだ。

　既存電力網の使用に関しても、再生エネ由来の電力に優先権を与え、蓄電池を効率よく使うシステムが構築されれば、カーボンフリーの電気が大量消費に向かい、価格が一線を越えて、爆発的需要となり、機材や設備の価格低下を促すことになる。

第16章　2050年

　最後に、今世紀半ばの日本のあるべき姿を描いておきたい。全てが望ましい方向に向かう想定だが、決して不可能な事ではなく、多難を極めるが、試行錯誤を繰り返して達成できる姿と信じている。

　日米欧が揃って2050年に、カーボンニュートラルを達成、ＳＤＧｓの17目標に向かって、まずは地球保全の分野で、足並みが揃う。本書で述べた多くの壁を乗り越えたことは喜ばしい限りだ。国、企業、個人の各レベルで、障壁打破の努力が為され、難題である「脱炭素と代替エネルギー」、「廃棄物処理」、「国際秩序の安定化」、「技術進化」の各分野で進展を見せたのである。「可能性を現実にする試行錯誤を積み重ねる」が地道に実施された結果だが、今世紀の中間点の2050年の姿であり、世紀末の「より安定した世」への通過点である。

―2050年における日本と世界の姿―
　日米欧のカーボンニュートラル達成宣言の後、新興国への資金・技術支援を通じて、全体のＣＯ２削減が強化され、ほぼ温暖化現象の進行が食い止められる目処がつ

く。

　アジア、アフリカの経済発展が進み、人口増でＧＤＰが先進国を上回るパターンの定着に入り、新興国と先進国の協調体制が確立して、世紀末までの両者格差是正が見え、世界の一体化に向かう体制が整う。

　脱炭素の進化は、特にアジアの発電所、鉄鋼や製油産業の化石燃料使用削減により、顕著に見られた。加えて、CO_2の資源化に成功し、３Ｒのうちの、リデュースとリユースが功を奏した形である。さらには、CO_2を固体化して埋設する技術が実用化に入り、全体としてCO_2の管理が出来る時点の到来である。

　代替エネルギーの分野では、水素が圧倒的地位を得る。水素生産技術の進化はすさまじく、中東、オーストラリア、アフリカでの砂漠における太陽光発電による水からの水素取り出し、アルゼンチン等での風力発電による水からの水素取り出しが、大規模化により採算点をクリアする。並行して、貯蔵、運搬船、揚降設備、アジア中心の需要地へのサプライチェーンの整備が完成に向かう。

　廃棄物処理は大きな進展が見られないままの状態。産

廃と一般廃棄双方とも、場所の確保が難しく、廃棄量削減も格段の成果が見られていない。大規模災害の頻度が増え、建造物堅牢化は進んだが、全体としての廃棄物処理能力は強化されていない。また、国家予算が再生エネに集中した結果、廃棄物に回ってこないことも要因である。放射能廃棄物に至っては、住民反対が強く、世界的に進展がない。また、国際的共同トイレも各国とも拒否反応が強く、世紀末までに技術開発を含む処理方法を見出さねばならない。

　唯一、大きな進展があったのは、プラスティックゴミ処理であり、代替製品の開発と再利用、人々のマインド好転に負うところが大きい。可燃性、水溶性の代替素材がゆきわたり、プラ製品をつぶして再利用する技術も進化し、プラスティックは３Ｒ全てを実証する格好の素材であることを示した。人々がポリ袋を辞退する辞退率が非常に高いことは、変化への対応の観点で注目に値する。気になる可食物の廃棄削減は不満足のまま、課題を残している。「もったいない」が解消されていない。

　環境問題を犠牲にして、経済発展を優先するブラジル等の政策は、ようやくＣＯＰによる国際協調が調い、森林火災の頻度低下、温暖化の衰えが数値で実証されるに及び、南極の氷山も２０世紀のレベルに戻る見通しとな

る。重要なことは環境問題が中心となって、ＳＤＧｓなどの世界一体化の姿勢が顕著に見られることで、政治面にもこれが波及して、米中の数度の政権交代を経て、協調重視方針への転換がなされる好ましい副産物を生んだとの認識である。

　日本がソフトパワーによるリーダーシップを発揮し、軍備拡大や覇権志向は何一つ益をもたらさない、との姿勢が世界に評価される。一部の軍拡は残っているが、ミサイルの無能力化に近づける日本の技術が大きく貢献する。これにより、原爆の無能力化が成り、世界は莫大な軍事費削減の入り口に到達する。削減された額をいかに貧困、難民、疫病などの平和利用に配分できるかの検討が為される。

　日本がソフトパワーを活用して、大国、米中に話し合いのテーブルに着くよう説得できるのは、国力が備わりつつあるからである。脆弱では説得力が備わらない。国力とは技術を基礎とする盤石の体制であり、それがあって、ソフトパワーも備えることが出来る。国力でまず挙げねばならないのは、国土強靭化である。地震、豪風雨などの大災害は途切れることなく、毎年国土を切り裂いている。その都度、後片づけと復旧にどれだけのコストと時間を失っていることだろうか。それを最小化する努

力が実を結びつつある。

　鉄の５分の１の重さ、５倍の強度のセルロースファイバーのコストダウンが実現し、高層ビル、一般建物、橋梁、トンネル、地下構造物の素材転換が進められ、徐々にではあるが、マグニチュード１０、震度８の地震ではびくともしない強靭化が進む。

　老朽化建造物の保守にも、劣化場所の発見にはドローンが一役買って、迅速な補修が為され、新築・補修双方の堅牢化が進む。セルロース以外の素材開発も進み、スーパーコンピューターで合成された粉末や液体が３Ｄプリンターで成形される部品・製品は競争力をつけ始める。従来の、ブラジルから鉄鉱石を輸入し、高炉で化石燃料を使って過熱し、鉄分を取り出した後、インゴット・スラブ成形を経て、圧延して鉄板にし、成形加工するプロセスからの大転換である。

　環境問題の解決と質の向上を同時に遂げる技術の勝利であり、コストの課題解決に向かう。車がガソリンから電気に、エネルギー源を変えた大変革が、鉄鋼でも起こる兆しが見え、鉄鋼業は変身を迫られることになる。このように、国土強靭化は災害防止のみでなく、国力強化であり、国際説得力強化でもある。

　自動車関連でも大きな変貌である。車体は、建造物同様のプロセスで新素材により成形され、あとはエレクト

ロニクス部品と蓄電池を加え、アッセンブリーラインで組み立てられる。強度が増し安全性が担保されたうえ、軽量化された車は格段にエネルギー消費を最小化し、価格は、２０年末の一説だが、５分の１になるとの想定が実現に向かっている。製造工程の簡素化、素材の堅牢軽量化、価格破壊という、とてつもない変貌がなされ、この技術は、堤防、航空機、列車、球技場などの建造物、地下構造物他多くのインフラに及び、社会の安全性確保にも大きく貢献する。

　エネルギー構造は大きく変わる。原発は安全度の高い数基のみが稼働し、化石燃料由来の発電所に代わり、太陽光と輸入水素が主電源の発電所となる。各家庭は太陽光発電と蓄電池の効率向上及び低価格化により、ほとんどがゼロエミッションを達成する。交通システムも、６Ｇと７ＧのＩＣＴにより、事故ゼロ、ガソリンステーション全てが水素及び充電ステーションに代わり、乗用車やトラックの変化に対応するインフラとなる。

　世界の人口は爆発的増加が回避され、化石燃料産出国であった中東・アフリカ諸国は太陽光由来の水素など非化石エネルギー輸出国に生まれ変わり、先進国の資金と技術支援を得て、安定に向けた国造りに入る。世界的に

貧富格差は縮小傾向に向かう。

　危惧された、感染症はスーパーコンピューターの威力で、短時間の菌特定と適応薬開発が可能となる。数年かかっていた類似の過去の菌発見が数時間に短縮という快挙がさらに進化して、新たな感染症対策はほぼ勝利を見る。何しろ量子コンピューターの進化は想像を絶するスピードなのだ。日本が最速のコンピューター富岳を発表して間もなく、中国科学技術大学の研究者が「量子超越」と呼ばれるブレークスルーを果たした。富岳が６億年かかる問題を２００秒で解くとの発表である（２０年１２月日経）。

　営農発電が進展する。耕作放棄地の活用で、離農が進むことに歯止めがかかる。２０１５年時点で、耕作放棄地は４２万ヘクタール、富山県に匹敵する。耕作放棄地に支柱を立て、その上に太陽光パネルを設置、その下が耕作地となって、遮光で育つ作物である大麦、薬草の他、ナス、白菜も栽培可能と言う。太陽光、水分、肥料がコンピューター制御の下で供給されるので、生育効率は抜群に良く、無菌で安全性の高い野菜が季節に関係なく生産される。人工太陽光も開発が進み、さらに多くの野菜栽培が可能となる。野菜の季節感がなくなるのが欠点となろうか。

２０２０年末の事だが、地球の気候や生態系の変化は
「ここを超えると元に戻れない」という限界点に近づい
たと言われた。北極の氷、熱帯のサンゴ礁、南極大陸西
部の氷河減少が一線を越えた事が科学的データで明らか
になった。このまま１０年も続くと、人類の営みに適し
た状態に戻れなくなるのだ。過去３００万年もの間、２
度以上高い水準になったことは一度もない。日中米欧が
計画通り対策を進め、温暖化ガス排出を年率６％のペー
スで削減し、３０年に５５％削減目標をクリアし、５０
年に目標に漕ぎつける計画がほぼ予定通り進んだ。これ
は、第二次大戦後の経済復興と社会再建に匹敵する変化
だと評価される。

　環境問題は元来、あまり重視されないテーマで、目先
のことに注目が集まり続けてきたが、欧州では７０％が
気候変動や持続可能性を気にしないと言われていた。こ
の３０年間の地球危機に関する認識拡大は、世界的運動
の成果としても非常に大きかったと言える。

　重要かつ困難な問題がファイナンスである。問題解決
に要するファンドをどのように調達するかである。再生
エネ開発、廃棄物処理、防災構築に要するコストとこれ

らすべてに活用される技術開発支援コストをいかに賄えるか。もちろん通常必要とする、国策上の経費、国防、社会保障費に加わる経費である。手っ取り早い方法が国債の発行であろう。

　２０年末の国家負債はすでにＧＤＰの２倍になっているが、さらに増やしてゆくことになる。この様な多額の国債発行を可能にする礎が、国民の努力で積み重ねた１９００兆円と言われる個人の金融資産であることは言うまでもない。さらに国債増を許すにしても、健全な国家維持のため、自ずと限度がある。国債以外に頼れるのは、国政費用の節減である。莫大な国会と行政費用削減は不可欠と断言し、取り組みが始められた。その成果が５０年にようやく表れる。

　ＩＣＴ活用で、国会運営と行政業務を、早く短いシステムに改革し、国と地方の議員を精鋭化して半数とし、国・地方のあらゆる手続きの簡素化による何百兆円もの節減が積み上がり、環境問題解決コストと国力増進に貢献した。５０年までの３０年間で、この様な措置が講じられ、国と地方の議員の削減による精鋭化が成り、同時に不正や無駄が排除され、野党の対応も反対のための審議から国のための審議に変貌、健全な二大政党政治に向かう。

　決定に時間がかかり、無駄の多い民主主義の欠点はＩ

ＣＴの活用で修正され、かつ独裁政治ではない、規律を尊重する社会への道程を歩み始めている。「広く会議をおこし、万機公論に決する」だけに徹するのは、余りに時間と労力を食いすぎ、ＩＣＴが手伝う事で、効率化、簡素化、省力化の目標に向かっている。

― むすび ―

　２０２０年末に亡くなったエズラ・ヴォーゲル米ハーバード大名誉教授は東アジアの専門家である。日本人記者に「あなたの英語より私の日本語の方が間違いないので、インタビューは日本語でやりましょう」と言うほどの日本通である。１９７９年、ベストセラーとなった"Japan as number one"の著者として有名である。社会学者として見聞した日本の独自性を紹介したわけだが、日本では、"Japan is number one"と勘違いして、人々が舞い上がっていた（２０２０年１２月日経編集委員大石格氏）。恐らく、「Ｎｏ１としての日本」は多くの壁を乗り越えねばならない日本を描いたものと思われ、決して日本がＮｏ１という訳ではない。ａｓとｉｓの違いは明白である。当時の情勢とは異なる背景だが、今の時点での日本のあるべき姿を描き、障壁を乗り越えねばならない実情を指摘する本書である点、向かう方向は同じと思われる。

　環境問題は国際的であり、内容は広範囲に及ぶものであり、相関関係を捉えてゆくことが肝要と考える。その重要性を伝える努力をしたが、もし不十分であれば、そ

れは筆者の力不足以外の何物でもない。環境問題が与える影響の大きさを強調して、強調しすぎることはない。

　環境問題が広範囲にわたる影響を及ぼし、多くの知恵と莫大な資金を要することから、総合対策が必要となる点を繰り返し述べてきた。

　環境問題で日本が責務を果たすには、国が脆弱では難しく、国力を備えるには技術力向上と資金調達力が必要である。現状はそれが困難で国家再構築を要する。

　再構築案を作成すること自体、大プロジェクトだが、下記はその一案である。

（A）日本再構築企画会社（仮称）なる会社を設立し、環境問題取組を目的とする国家再構築案を作成する。企画最終案の実行段階で、具体的ビジネスの骨格が出来上るが、参加企業へのビジネス配分までも視野に入れる。ビジネスの骨格に基き、関連会社が設立され、この関連会社と参加企業が契約を締結、実行段階へと進める。

（B）企画会社の検討会構成メンバーは、環境問題に関わる全ての企業と政府、さらに国家再構築に必要な立法・行政改革を手掛けるので、学者、政治家、行政代表である。関連業界毎に複数社を選び、検討会メンバーとす

る。すなわち、企画会社への出資会社から検討会メンバーを選ぶことになる。

業界は、電力、重電、家電、一般機械、造船、鉄鋼、非鉄、化学、合樹、プラスティック、繊維、運輸、航空、通信、ソフト技術、金融、総合商社、その他必要と思われる業界である。

（C）長期にわたる検討会運営経費は、参加企業と政府が供出する資本金で賄うが、足りなくなれば増資する。政府も出資するのは当然である。

（D）ビジネスとして具体化する段階で業界毎の金額も明らかになり、業界毎に設立される個別会社が本スキームの「骨格会社」となって、企画会社への出資会社（参加企業）との間で個別契約を具体的商品に対して、取り交すことになる。

「骨格会社」が参加企業の製品を購入するわけだが、「骨格会社」の資金は基本的には、環境対策の公的資金であり、それに加えて金融業界のプロジェクトファイナンスも適用されることであろう。

このような仕組にしないと、単に検討委員会を設立する政府主導では、多額の税を使うことになり、出費の都度、予算取得に手間取り、時間もかかる。

企画会社への企業の出資は、将来のビジネスに

繋がる投資と理解され、各企業は積極的に取り組
　　む事になろう。
（Ｅ）組織は全体を取り仕切る「最高運営会議」（企業の
　　取締役会のごときもの）の下に、業界別の骨格会社
　　　　　　　　　　　　　　　　　　　　　　　を作ること
　　になるが、構想そのものを作るチームが必要である。

　以上のような構想が実現すれば、世界に類を見ない画
期的取組みとなるが、成功するか否か、世界的に注目を
浴びることは間違いない。
　日本人は協調性のある民族、ライバル企業同士あるい
は異業種間であっても、一心同体で一つの目的に向って
全力を挙げる。筆者も現役時代に、共同商談、コンソー
シアムといわれる商談形態で、一企業では達成の難しい
取引を成功に導く数多くの経験をした。世界が驚嘆する
好結果を信じる。
　企画の中には国会議員の精鋭化と行政の効率化を含む
が、それによる国費削減額は莫大で、本プロジェクトの
資金源でもあり、適切な人選が必要である。
　上述はこと始めの域を出るものではない。次頁の組織
図も骨子の一例であり、有識者チームが詳細検討を行っ
て作成すべきものである。単なる示唆だが、骨子が肉付
けされて構想が実現に向うことを願って止まない。

〔組織図例〕

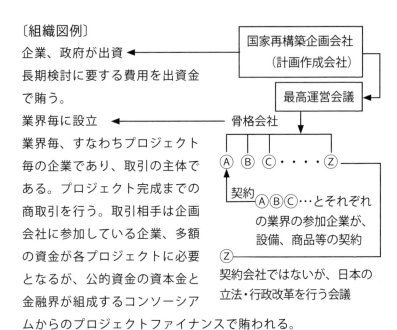

企業、政府が出資
長期検討に要する費用を出資金で賄う。

業界毎に設立
業界毎、すなわちプロジェクト毎の企業であり、取引の主体である。プロジェクト完成までの商取引を行う。取引相手は企画会社に参加している企業、多額の資金が各プロジェクトに必要となるが、公的資金の資本金と金融界が組成するコンソーシアムからのプロジェクトファイナンスで賄われる。

国家再構築企画会社
（計画作成会社）

最高運営会議

骨格会社

Ⓐ Ⓑ Ⓒ ・・・・ Ⓩ

契約

ⒶⒷⒸ…とそれぞれの業界の参加企業が、設備、商品等の契約

Ⓩ

契約会社ではないが、日本の立法・行政改革を行う会議

　戦後７５年のシステムは、２０年にその役割を終えた。その後の３０年で、国民は多くの改善を行い、５０年に環境悪化に歯止めをかける措置を行った。世紀末にかけて、日本はソフトパワーを身に付け、その裏付けとなる国力強化を計画に沿った形で成し遂げ、最終的に安定の世に向けたパックスジャポニカの世紀にする努力を重ねる素地を、世紀半ばで造ったと言える。

２０２１年３月吉日　筆者記す

著者プロフィール

千葉 武志（ちば たけし）

1935（昭和 10）年	11 月 16 日生まれ	
1958（昭和 33）年	3 月 31 日	甲南大学経済学部卒
1958（昭和 33）年	4 月 1 日	日商株式会社（後の日商岩井、双日）入社
1965（昭和 40）年	6 月就任	米国会社ニューヨーク本店駐在 鉄鋼担当
1971（昭和 46）年	6 月	東京熱延コイル課 課長
1979（昭和 54）年	12 月就任	日商岩井アルゼンチン会社 社長
1984（昭和 59）年	4 月	鉄鋼貿易本部企画室長
1986（昭和 61）年	6 月就任	日商岩井香港会社 社長（在香港）
1988（昭和 63）年	6 月就任	本社 取締役
1991（平成 3）年	6 月就任	日商岩井中国香港地区総代表(在北京)
1992（平成 4）年	6 月就任	本社 常務取締役
1996（平成 8）年	6 月就任	日商岩井大坂本社担当役員（本社常務取締役）
1997（平成 9）年	7 月就任	Sky PerfecTV 副社長 出向
1999（平成 11）年	7 月就任	日商岩井顧問
2001（平成 13）年	6 月退任	日商岩井顧問

世の変遷で捉える日本国の役割 II

発　行	2021 年 5 月 1 日　第 1 版発行
著　者	千葉武志
発行者	田中康俊
発行所	株式会社　湘南社　https://shonansya.com
	神奈川県藤沢市片瀬海岸 3 − 24 − 10 − 108
	TEL　0466 − 26 − 0068
発売所	株式会社　星雲社（共同出版社・流通責任出版社）
	東京都文京区水道 1 − 3 − 30
	TEL　03 − 3868 − 3275
印刷所	モリモト印刷株式会社